新装版

英語訳付き with English translation

世界の人と楽しむ
ORIGAMI
おりがみ

編著

山梨明子　藤本祐子
Akiko Yamanashi　Yuko Fujimoto

Enjoy ORIGAMI with people all over the world!

日貿出版社

はじめに

　外国の人と友達になれたらいいのになあ、そんな憧れを抱いたことはありませんか？また海外旅行に行った時、現地の人とほんのちょっとでも触れ合えたらいいのに、と思ったことはありませんか？そんな時、言葉が通じなくても相手が笑顔になって心が通じる、とても簡単な方法があるのです。

　そう、それは「折り紙」です。折り紙には言葉の壁を越え、人の心を開かせ仲良くさせてしまう、不思議な力があるのです。

　私が折り紙の持つ力を初めて知ったのは、若い頃、初めて海外を一人旅した時でした。シベリア鉄道の食堂車で相席になった親子連れに、紙ナプキンで「蓮の花」を折ってあげました。すると翌日、車内の子供たち数人が手に紙切れを持ち、折り紙を教わりたいと私の個室を訪ねて来たのです。「羽ばたく鶴」や「兜」を教えてあげると大喜び。言葉はお互い全く通じないのに、すっかり仲良しになりました。

　ヨーロッパに向かう列車の個室では、様々な国籍の一人旅の若者同士6人が一緒になりましたが、お互いに話がしたいと思いながらもきっかけがなく、皆押し黙ったままでした。ところが私が暇つぶしに折り紙を始めると、皆が興味深そうにのぞき込み、何ができるのだろうと言って会話が始まりました。できあがると歓声があがり、その頃には6人ともすっかり打ち解けて親しくなっていたのです。その後も折り紙を折るたびに、奇跡のように周りの人が笑顔になり、楽しい旅を続けることができました。

　折り紙愛好家の間では、私のように折り紙のおかげで海外旅行で楽しい思いをしたという話は枚挙にいとまがありません。あまりに楽しいので、折り紙を教えるために海外に行く人もいるほどです。また海外に移住した時、初めは言葉もうまく通じず寂しい思いをしたけれど、折り紙を披露したのがきっかけで友達が増え、今では折り紙の普及に活躍しているという人もたくさんいます。

　近年では、日本国内でも外国の方を見かけることがとても多くなりました。日本文化の紹介としてだけでなく、誰もが笑顔になる最強のコミュニケーションツールとして、折り紙をもっと活用していただけたらと思います。

　言葉が通じなくても折り紙は通じます。あなたも、そんな不思議な体験をしてみませんか。

2019年初夏　山梨明子

本書の特長

本書には、実際に外国の方に教えて評判のよかった作品や、実用的な作品、覚えておきたい名作などを選りすぐって掲載しています。海外へのお供や、お土産に、また折り紙初心者の入門書にもおすすめです。折り紙を交流に役立てる具体例や、教え方のコツなどもご紹介していますので、国際交流活動のボランティアや、海外の方のおもてなしにもご活用いただけます。

●本書の使い方

1. まず「記号の説明」(p.24)を参考にしながら「鶴」(p.28)を折って、折り図の読み方を確認しましょう。
2. 作品ごとに、下記の通り難易度を★1つから3つで表していますので、折り図を見慣れていない方は、星1つのやさしい作品から折り始めるとよいでしょう。
3. 本を見なくてもスイスイ折れるレパートリーを増やしていきましょう。
4. コラムを参考にして、折り紙を活用しましょう。

※英訳は、外国の方が本書を読む場合や、折り紙を教える際の参考として付けてあります。英語に興味のある方はご覧下さい。折り紙は、基本的には見てもらえれば折り方を伝えることができますので、詳しい英文を覚える必要はありません (p.31の「覚えておくと便利な英語のフレーズ」参照)。

また、興味のない方は英語を見なくてもかまいません。お互いに言葉が通じなくても折り紙で心を通わせ、楽しい経験をしたという方も、たくさんいらっしゃいます。本書を参考に、笑顔と折り紙パワーでチャレンジしてみましょう。

●難易度

★　　やさしい（初心者に教える場合は、この中から選ぶとよいでしょう）
★★　　普通（目の前で折って見せてプレゼントしたり、少し折れる人に教えることができる作品です）
★★★　　難しい（少し難しい技法が入っているチャレンジ作品です。美しい紙で折って、プレゼントにも）

目 次 CONTENTS

	折り図	写真
はじめに	2	
本書の特長	3	
記号の説明 Symbols in Drawing	24	
鶴 Crane	28	19
[参考] 正方基本形の折り方 How to fold the Square Base	30	

作って遊ぼう Make the models and play with them!	32	5
帆かけ船 Sailboat	32	5
羽ばたく鳥 Flapping bird	33	5
キツネ（ハローフォックス）Fox (Hello Fox)	34	6
バッタ Grasshopper	35	6
風船 Ballon(Water bomb)	36	8
三角キャッチ Catching cone	37	10
だましぶね Trick boat	38	8
羽ばたく鶴 Flapping crane	40	7
水飲み鳥 Drinking bird	41	9
アクロバットホース Acrobatic horse	43	12
ケ・ケ・ケ Ke・Ke・Ke (Big mouth frog)	44	11
パクパクかえる Talking frog	46	11
メダルとメダルのくす玉 Medal and kusudama	48	12
花のコマ Flower spinning top	50	8
TFO（つくば型飛行物体） TFO (Tsukuba-model Flying Object)	53	10

日本を折る Fold Japanese motifs.	57	13
兜 Samurai helmet	57	15
角兜 Samurai helmet with long horns	58	15
はっぴ Happi (Traditional Japanese costume)	59	16
おひな様 Hina dolls	60	15
[参考] コップ Cup	61	
四季の富士山 Four seasons at Mt. Fuji	62	14
奴さん Yakko-san	64	13

	折り図	写真
袴 Hakama	65	13
忍者 Ninja	66	13
手裏剣 Ninja star (Dart)	67	13
着物のお手紙 Kimono note card	68	17
鶴の羽ばたき Flapping of crane	70	18
折羽鶴 Pleated wings crane	72	19
蓮の花 Lotus flower	73	19
お寿司 Sushi	74	14
箸包み〜山椒包み Traditional small wrapping for chopsticks and spice	77	14
妹背山 Imoseyama (Happy crane couple)	78	19
下駄 Geta (Japanese clog)	80	16

作って使おう Make the models and use them!	84	20
簡単封筒 Easy envelope	84	20
六角封筒 Hexagonal envelope	85	20
四角箱と八角箱 Square box and octagonal box	86	20
ボートの皿 Boat	88	21
富士山の敷き紙 Mt. Fuji place mat	89	21
扇の箸置き Fan-shaped chopsticks rest	90	21
糸入れ Traditional small pouch (thread case)	92	20
[参考] 正五角形の切り出し方と、その応用 How to cut out regular pentagon and its applications	94	21
おわりに	95	

[Column]

折り紙はコミュニケーションツール 22
覚えておくと便利な英語のフレーズ 31
折り紙で世界をつなぐ 37／楽しい折り紙ゲーム 42
旅先での出会い 49／折り紙を教えるにあたって 56
折り紙パフォーマンスはいかが？ 64／正方形の切り出し方 69
うまくいかないこともある 76
[寄稿] 海外での「鶴」の指導例 83
作品を選ぶ時に配慮したいこと 85
紙の「目」を意識しよう 91／1/3のスケールを作ろう 93

作って遊ぼう Make the models and play with them!

羽ばたく鳥
Flapping bird
>> p.33

尾を前後に動かすと、パタパタ羽ばたきます。
Moving the tail back and forth makes the bird flap its wings.

 動かし方の動画はこちらから。
Scan this QR code to access the video of how to move it.

帆の後ろから息を吹きかけると前に進みます。
The boat moves ahead when blown from behind.

帆かけ船
Sailboat
>> p.32

キツネ (ハローフォックス) Fox (Hello fox) ≫ p.34

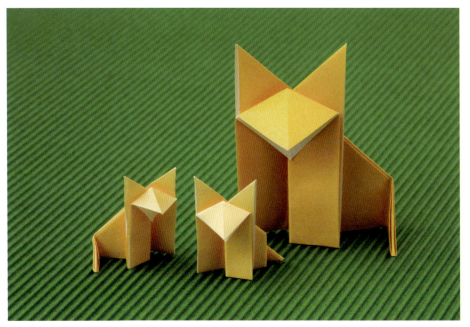

かわいいキツネが「ハロー！」と挨拶するように、口を開けたり閉じたりします。
This lovely fox can open and close its mouth like saying "Hello!".

 動かし方の動画はこちらから。
Scan this QR code to access the video of how to move it.

バッタ Grasshopper ≫ p.35

 動かし方の動画はこちらから。
Scan this QR code to access the video of how to move it.

羽ばたく鶴
Flapping crane
>> p.40

 ▶  ▶

動かし方の動画はこちらから。
Scan this QR code to access the video of how to move it.

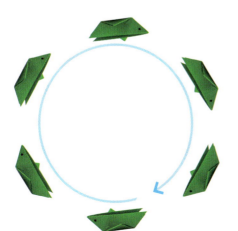

バッタの尾をトンとつつくと、
ピョンと跳ねて一回転！
Tapping the tail of the grasshopper makes it jump.

風船
Balloon (Water bomb)
>> **p.36**

だましぶね
Trick boat
>> **p.38**

花のコマ
Flower spinning top
>> **p.50**

水飲み鳥 Drinking bird　>> **p.41**

鳥がボウルの中の水を飲みますよ。
The bird drinks water in a bowl.

 動かし方の動画はこちらから。
Scan this QR code to access the video of how to move it.

「花のコマ」をカラフルな紙で折って回すと、色が混じり合ってきれいです。
Let's make the flower spinning top with sheets of paper in various colors. When you spin it, it looks beautiful with the colors mixed.

TFO（つくば型飛行物体）
TFO (Tsukuba-model Flying Object)
>> **p.53**

投げるとよく飛ぶ折り紙おもちゃです。
This model is an enjoyable origami toy that flies well when thrown.

三角キャッチ
Catching cone
>> **p.37**

丸めた紙や折り紙の風船でキャッチボールをしましょう。
Let's play catch with a crumpled paper ball or an origami balloon.

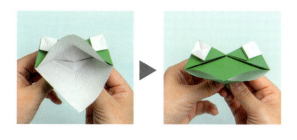

カエルの口を開けたり閉じたりさせて遊びましょう。
Let's play by opening and closing the frog's mouth.

ケ・ケ・ケ Ke・Ke・Ke: Big mouth frog >> **p.44**

動かし方の動画はこちらから。
Scan this QR code to access the video of how to move it.

パクパクかえる
Talking frog
>> **p.46**

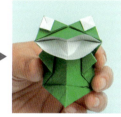

11

アクロバットホース
Acrobatic horse
>> **p.43**

動かし方の動画はこちらから。
Scan this QR code to access the video of how to move it.

尻尾を上手に跳ね上げると、くるりと一回転して立ちます。
When you flick its tail upward suitably, it can make a front flip.

メダルとメダルのくす玉 Medal and Kusudama >> **p.48**

日本を折る Fold Japanese motifs.

奴さん Yakko-san　>> **p.64**
袴 Hakama　>> **p.65**
忍者 Ninja　>> **p.66**
手裏剣 Ninja star (Dart)　>> **p.67**

お寿司 Sushi　>> **p.74**

箸包み〜山椒包み Traditional small wrapping for chopsticks and spice　>> **p.77**

四季の富士山 Four seasons at Mt. Fuji　>> **p.62**

1枚ずつめくると季節が移り変わります。
The seasons change when you flip the layers one by one.

動かし方の動画はこちらから。
Scan this QR code to access the video of how to move it.

春 Spring　夏 Summer　秋 Autumn　冬 Winter

14

おひな様 Hina dolls　>> p.60

「おひな様」を六角封筒（p.20）に入れてみました。台座にもなります。
Put "Hina dolls" in a "hexagonal envelope" (p.20). It will also be a pedestal.

兜 Samurai helmet　>> p.57
角兜 Samurai helmet with long horns　>> p.58

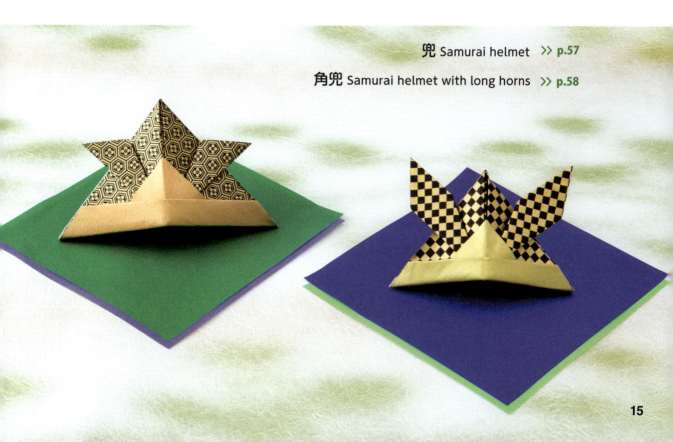

はっぴ Happi (Traditional Japanese costume)
>> p.59

下駄 Geta (Japanese clog)
>> p.80

「はっぴ」をおしゃれな手ぬぐいで作って
プレゼントしても素敵です。
Let's make this model from a *tenugui*
with cool drawing for a great gift!

着物のお手紙
Kimono note card
>> **p.68**

着物の帯がメッセージカードになります。
The *obi* part will be the small message card.

鶴の羽ばたき Flapping of crane
>> p.70

「鶴」（p.19）の羽と尾にスライドパーツを付けました。引っぱるとシュルシュルと長く伸びていきます。
Add sliding parts to the wings and tail of a Crane(p.19). If you pull the sliding parts, they will extend.

動かし方の動画はこちらから。
Scan this QR code to access the video of how to move it.

鶴 Crane
>> p.28

妹背山
Imoseyama (Happy crane couple)
>> p.78

折羽鶴
Pleated wings crane
>> p.72

蓮の花
Lotus flower
>> p.73

作って使おう Make the models and use them!

簡単封筒
Easy envelope
>> p.84

糸入れ
Traditional small pouch
(Thread case)
>> p.92

六角封筒
Hexagonal envelope
>> p.85

四角箱と八角箱
Square box and octagonal box

>> p.86

ボートの皿 Boat
>> **p.88**

富士山の敷き紙
Mt. Fuji place mat
>> **p.89**

扇の箸置き
Fan-shaped chopsticks rest
>> **p.90**

[参考]
正五角形の切り出し方と、その応用
How to cut out regular pentagon and its applications
>> **p.94**

折り紙はコミュニケーションツール

　一人で折るイメージが強い折り紙ですが、実はコミュニケーションの手段としても役立つことをご存じでしょうか。特に相手が外国の方の場合は、言葉がなくてもお互い笑顔になれる、手軽でとても便利なツールだと思います。

　外国の方と折り紙を楽しむシチュエーションの例を、いくつかご紹介しましょう。

　◇街なかや乗り物、海外旅行などで出会った外国人と話してみたいが、きっかけがない。
　　→　眼の前で折り紙を折ってみてはどうでしょう？　興味を示してくれたら、折ったものを差し上げましょう。
　　　　もっとも、最初はなかなか勇気が出ないもの。そんな時はまず、子供たちにプレゼントしてみましょう。

　◇外国人がホームステイすることになった！　あるいは自分がホームステイすることになった！
　　言葉があまり通じなくても、親しくなるための方法は何かないかな？
　　→　折り紙の出番です！折り紙を一緒に折るだけで、なぜか心が通って仲良しになれます。
　　　　教えてあげるのもいいですし、一緒に本を見ながら折り方を考えるのも大変楽しいものです。

　◇外国人を招くことになった！あるいは集まってパーティーをすることになった！
　　→　折り紙を折って箸置きや器として使い、様々な作品で食卓を飾りましょう。
　　　　たとえば、次のページのような演出はどうでしょう？
　　　　おもてなしの気持ちが伝わりますし、会話の糸口にもなります。

　相手が折り紙に興味を示してくれたなら、眼の前でささっと折ったものをプレゼント。何ができるんだろうというワクワク感がありますし、何より、自分のために折ってもらうのは格別うれしいものです。
　女性には花を、男性は「アクロバットホース」など、カップルには「妹背山」、子供には「羽ばたく鶴」などの動く折り紙と、相手に応じて折るものを工夫してみましょう。
　折り紙のよいところは、気軽にプレゼントできること。普通の折り紙の場合は値段的に安く、もらう方もそれがわかるので、気をつかわないであげたり、もらったりできます。逆にお世話になった人に差し上げたり、お土産にするのには、紙を選び、時にはケースに入れるなどして手間ひまかけて作ることもできます。
　そこまで手をかけなくても、小さな作品を透明袋に入れて、きれいなマスキングテープで留めたり、リボンを結んだりするだけでも、驚くほど見栄えがします。ひもをつけてオーナメントにしたり、吊るし雛のように仕立てたりしてもいいですね。また、美しい千代紙で小さく折った折り鶴を羽をたたんで用意しておき、眼の前でぱっと羽を広げて渡すと、ささやかなパフォーマンスになり、思った以上に喜ばれます。挨拶の時や、ちょっとしたお礼代わりにいかがでしょう。
　時と場合に応じて、いろいろ使い分けることができるのも、折り紙のよさだと思います。楽しい交流の仲立ちとして、ぜひ折り紙を生かしてみて下さい。

記号の説明
Symbols in Drawing

「折り図」は作品づくりの大切な道しるべ。折り紙を楽しむために、まずは折り図に使われている記号を、しっかりと覚えましょう。
"Diagram" is an essential guide for you to make models. To enjoy Origami, firstly make sure to remember the symbols in the diagram.

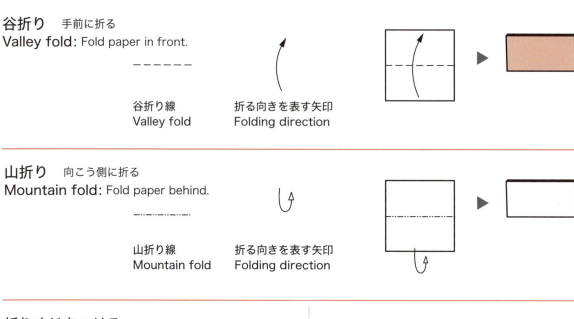

谷折り　手前に折る
Valley fold: Fold paper in front.

谷折り線　　折る向きを表す矢印
Valley fold　Folding direction

山折り　向こう側に折る
Mountain fold: Fold paper behind.

山折り線　　折る向きを表す矢印
Mountain fold　Folding direction

折りすじをつける
Make a crease line

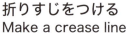
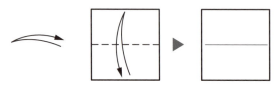

谷折りの折りすじをつける
Fold and make a crease line, then unfold.

山折りの折りすじをつける
Fold and make a crease line, then unfold.

開く　矢印のところに指を入れて開く
Open up: Insert your finger and open it.

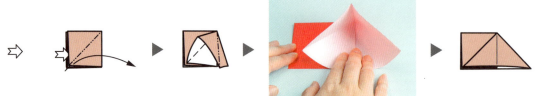

差し込む、引き出す
Insert a flap / Pull out

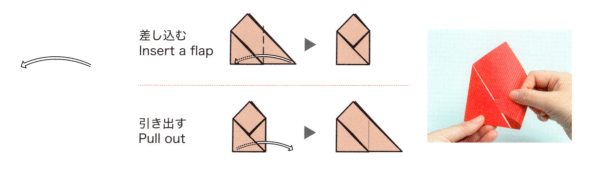

差し込む
Insert a flap

引き出す
Pull out

中わり折り　カドを内側に折り込む
Inside reverse fold: Push the corner inside as the middle layer.

カドを出す場合
The folded corner will be outside.

カドを出さない場合
The folded corner will be hidden inside.

かぶせ折り　カドの部分を外側にかぶせるように折る
Outside reverse fold: Wrap the corner around the layers.

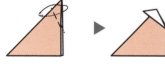

折ってあるところを一度半開きにして折るとよい。
Open slightly and fold outside.

裏返す　左右に裏返す
Turn paper over:
Don't rotate the paper upside down.

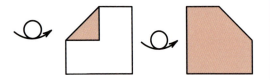

図の向きが変わる
Rotate

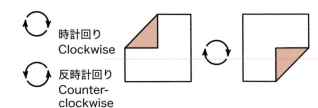

時計回り
Clockwise

反時計回り
Counter-clockwise

図を拡大する
Enlarge

図を縮小する
Reduce

仮想線　次の形や、かくれている部分を示す
Hidden line: Hidden or coming line.

段折り
Pleat fold

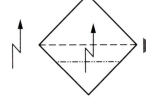   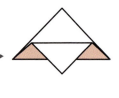

巻くように折る
Roll the flap by repeated folds

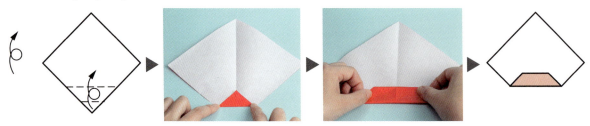

26

押しこむ、つぶす
Push paper in

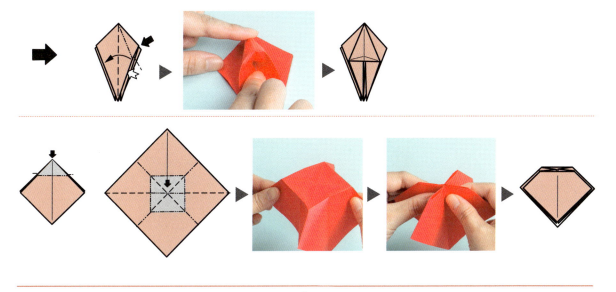

切り込みを入れる
Cut

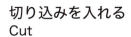
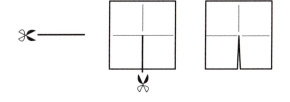

等分記号　同じ長さに分割する
Division: Divide the length in equal parts.

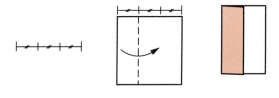

折り図を見るコツ Tips to Utilize Diagram

＊今折っているところだけではなく次の図を見ながら折ると、形の変化がよくわかって迷いにくくなります。
Checking carefully the next step, not just the step you are in, will help you to understand the shape change and avoid getting lost.

＊折り図は地図のようなものです。必ずしも折りやすい向きで描いてありません。図を参考にしながら、紙を自分の折りやすい向きに置いて折りましょう。
Diagram is like a map. They don't always give the best orientation to fold papers easily. While referring the diagram, orient your paper, so that you can fold it easily.

鶴 Crane 写真 >> p.19 難しさ：★★

鶴（折り鶴）は、おそらく最もよく知られている日本の折り紙作品です。まずは、これをきれいに折ってみましょう。途中でできあがる「正方基本形」と「鶴の基本形」からは、いろいろな作品が生まれます。

This is probably one of the most famous Japanese origami models. First, let's fold it precisely. From the step ❼ (Square Base) and the step ⓲ (Crane Base), a lot of models can be created.

「鶴」の折り方の動画はこちらから。
Scan this QR code to access the video of how to how to fold "Crane".

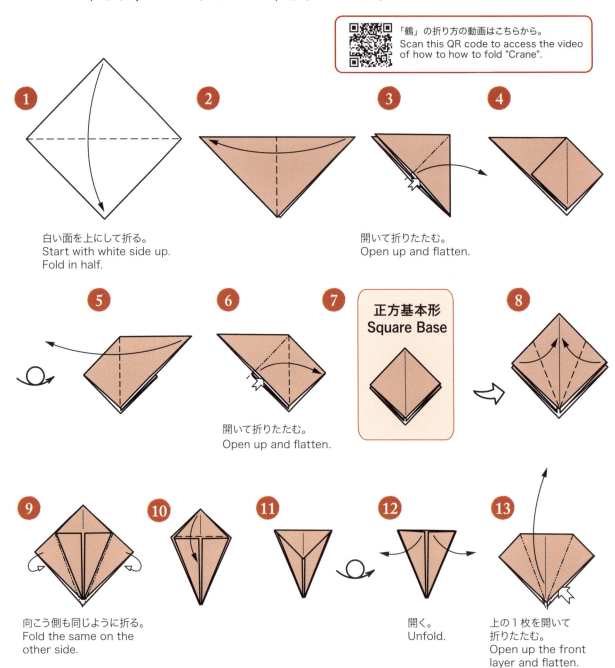

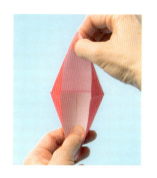 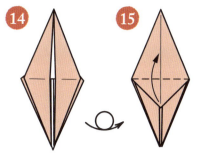  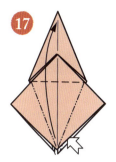

開く。
Unfold.

開いて折りたたむ。
Open up and flatten.

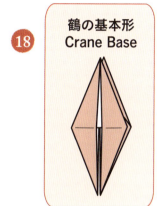 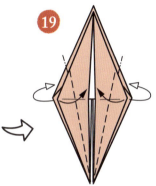 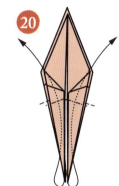 

鶴の基本形
Crane Base

中わり折り。
Inside reverse fold to bring the both corners up.

  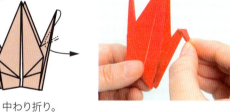 

中わり折り。
Inside reverse fold.

羽を開く。
Spread the wings.

できあがり
Finished!

米国在住の折り紙講師による「鶴」の折り方の英語での指導例をp.83のコラムで紹介しています。ご興味のある方はご覧下さい。

29

参考 For reference

正方基本形の折り方　How to fold the Square Base

「鶴」の途中で出てきた正方基本形は、さまざまな折り紙作品のベースになるものです。
p.28 で紹介した以外の折り方もできるので、他に2通りの方法をご紹介します。
A variety of Origami models can be created from this base. These are 3 ways to make it.

折り方 2　初心者でも簡単に折れます。
Easy even for beginners.

①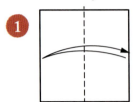
白い面を上にして折りすじをつける。
Start with white side up.
Fold and unfold.

②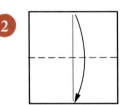

③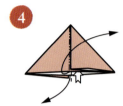

④
開いて折りたたむ。
Open up and flatten.

⑤
途中図。
In progress.

正方基本形
Square Base

折り方 3　小さな紙でも正確に折れます。
Precise even with smaller paper.

①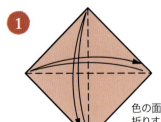
色の面を上にして
折りすじをつける。
Start with color side
up. Fold and unfold.

②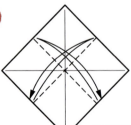
折りすじをつける。
Fold and unfold.

③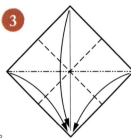

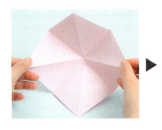

④
途中図。
In progress.

正方基本形
Square Base

覚えておくと便利な英語のフレーズ

　外国の方と一緒に折り紙を楽しむには、英語が必須と思っている方が多いのではないでしょうか。この本でも英語での説明を付けていますが、実は海外には英語が通じない場所がたくさん。英語がわからない外国人も多いので、英語は必須ではありません。日本語でよいので、ゆっくりと、折り方がよく見えるように教えればよいのです。

　折り紙は、言葉のいらないコミュニケーション。笑顔と、仲良くなりたい、楽しい時を過ごしたいという気持ちが一番大事です。日本に興味のある人、日本語を勉強したい人には、日本語で、あるいは日本語を混ぜながら教えた方が喜ばれることもあります。

　とはいえ、英語で折り紙を教えるフレーズをいくらかでも覚えておくと、コミュニケーションが、よりスムーズになることも確かです。そんな言葉をいくつかご紹介しておきましょう。

◇まずは、これさえ覚えておけばなんとかなる「神フレーズ」。

　　「このように折って下さい」　Like this.　Fold like this.

◇そして、実際に教える時に、頻繁に出てくる言葉。

　　「一緒に折り紙をしましょう」　Let's play with Origami.

　　「紙の白い面を上に出して下さい」　White side up.

　　「紙の色の面を上に出して下さい」　Color side up.

　　「半分に折りましょう」　Fold in half.
　　（特に「三角に折る」と強調したい時は Fold in half, making triangle.）

　　「裏返して下さい」　Turn it over.

　　「折りすじをしっかりつけて下さい」　Make sure the crease.

　　「この〜を、この〜に合わせて折りましょう」　Fold the 〜 to the 〜.
　　（〜に入る言葉は、「角」corner、「辺」edge、「折りすじ線」crease line など）

◇相手の進み具合を確認することも大事です。

　　「わかりますか？」　Understand?

　　「できましたか？」　Done it?

　　「私がやることを、よく見て下さい」　Watch my action well.

◇最後に、「よくできましたね！」と、褒め言葉をたくさん用意しておきましょう。

　　Good! / Good job! / Great! / Perfect! / Wonderful! / Amazing! / Excellent! / Beautiful! / Cool!　など、大きな身振りで褒めてあげると、きっと相手も笑顔になってくれますよ！

作って遊ぼう Make the models and play with them!

帆かけ船　Sailboat　写真 >> p.5　難しさ：★

3、4歳ぐらいの子供でも折れる作品です。競走すると夢中になってフーフー息を吹くので、肺活量を増やす訓練になるかも？七夕飾りとしても使えます。

This model can be made by almost anyone. Young children compete each other and blow the model so hard it might be a good training for their lung functions. This can be used as a Tanabata decoration. (Tanabata is a Japanese star festival in July.)

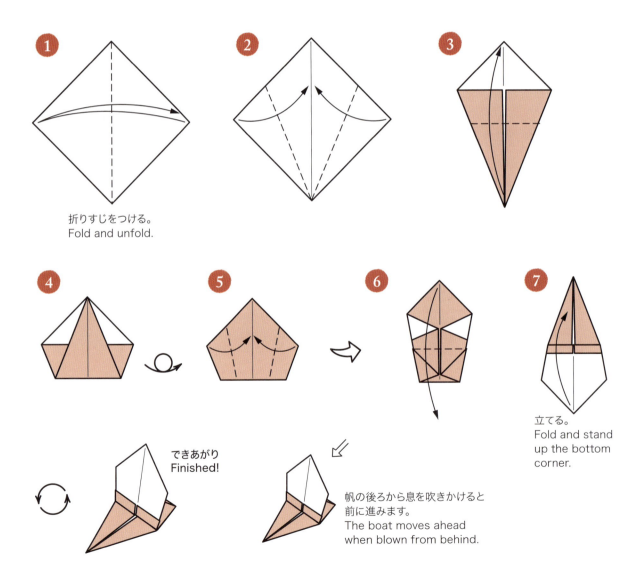

32

羽ばたく鳥 竹川青良 [作] 写真 >>p.5 難しさ：★
Flapping bird by Seiryo Takekawa

机がなくても簡単に折って遊ぶことができます。お話を作りながら折ってみましょう。
Can be made without a table. Let's fold this while creating a story.

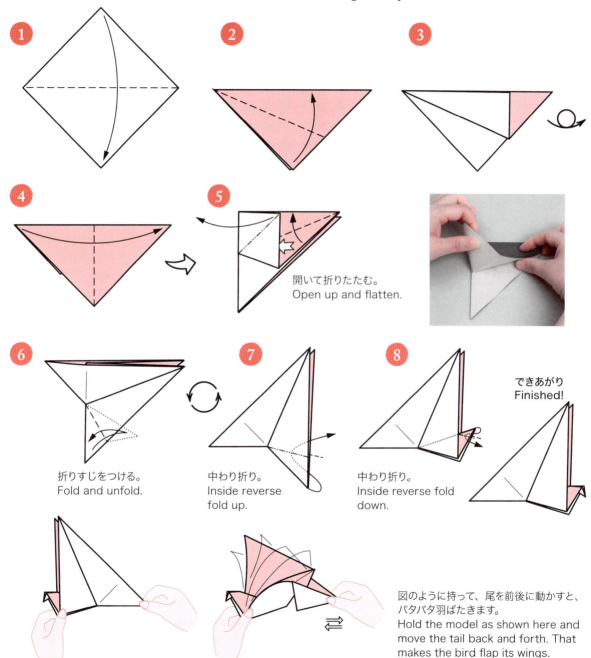

キツネ（ハローフォックス）　奥田光雄 [作]　写真 >> p.6　難しさ：★
Fox (Hello Fox) by Mitsuo Okuda

わずか7回折るだけで、かわいいキツネのできあがり。最後に開くと、「ハロー！」と挨拶します。折る人ごとに、違った表情になるのも楽しい作品です。

With just 7 steps, this lovely fox can be done. It says "Hello!," when you open it at the very last step. It's fun that we each can complete it with our own tastes.

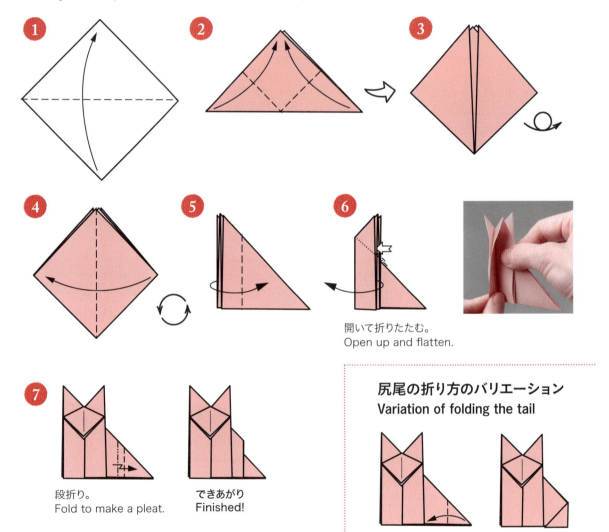

開いて折りたたむ。
Open up and flatten.

段折り。
Fold to make a pleat.

できあがり
Finished!

尻尾の折り方のバリエーション
Variation of folding the tail

p.6の写真のように持って前後に動かすと、口を開けたり閉じたりします。
Hold the model as shown in the photo on page 6 and move your fingers like opening/closing a book, so that the fox can open and close its mouth.

海外では、ファーストネームで呼び合うことが一般的な国が少なくありません。外国の方と一緒に折り紙を楽しむ時、まずは、この「ハローフォックス」や「ケ・ケ・ケ」(p.44)などの口を動かしながら自分の名前を言って自己紹介してみてはいかがでしょう？ それだけで場が和みます！

バッタ 竹川青良 [作] 写真 >> p.6 難しさ：★
Grasshopper by Seiryo Takekawa

簡単なのに、本当によく跳ぶバッタです。子供に限らず、大人の男性にも大人気です。
7.5×7.5cm角ぐらいの小さめの紙で折りましょう。

Easy to be made, yet jumps really well, this model is very popular with not only children but also adult men. Use a sheet 7.5 cm x 7.5 cm.

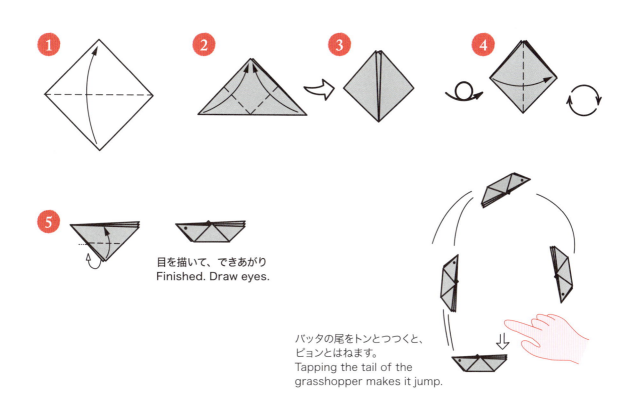

バッタの尾をトンとつつくと、ピョンとはねます。
Tapping the tail of the grasshopper makes it jump.

目を描いて、できあがり
Finished. Draw eyes.

バリエーション
Variation

15cm角の折り紙で折る時は、図のように折った後、上の❶からと同じように折る。
When you use 15x15cm paper, follow steps below and start from step ❶ above.

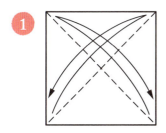
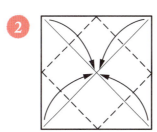

あとは上の❶からと同じ。
Follow step ❶ to ❺ above.

風船　Ballon (Water bomb)　写真 >> p.8　難しさ：★★

ボールの代わりにして遊ぶだけでなく、紐を通して吊るし飾りにしても素敵です。
また、風船の折り方を応用して様々な作品が作られています。
This model is great for not only using like a ball, but also hanging with a string to decorate.
Also this is one of the bases, which has been resulting in various designs.

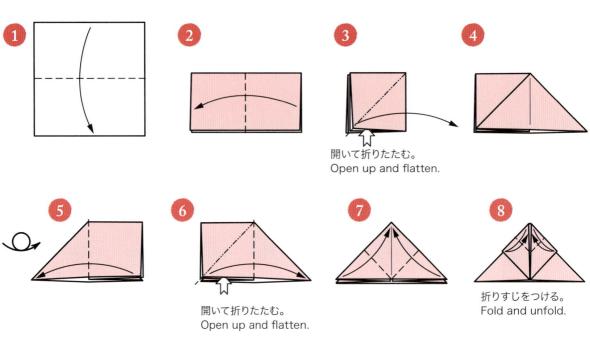

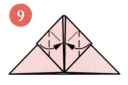

開いて折りたたむ。
Open up and flatten.

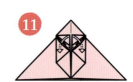
折りすじをつける。
Fold and unfold.

折って差し込む。
Fold and tuck 2 corners into the pockets.

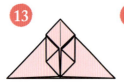
途中図。
In progress.

向こう側も ⑦〜⑫ と同じ。
Repeat steps ⑦ to ⑫ on the other side.

息を吹き込んでふくらます。
Blow through the opening.

息を吹き込む時はこのように持つ。
Hold the model like this when you blow.

できあがり
Finished!

36

三角キャッチ　山梨明子、藤本祐子 [作]　写真 >> p.10　難しさ：★

Catching cone by Akiko Yamanashi/Yuko Fujimoto

丸めた紙や伝承の風船でキャッチボールをしましょう。グローブと同じで、利き手と反対の手で持つといいですよ。A4 ぐらいの長方形で折ると丁度よい大きさに。フライドポテトやポップコーンの入れ物にもいいですね。
Let's play catch with a crumpled paper ball or an origami balloon on the previous page. Hold the model in your non-dominant hand like holding a baseball glove. A sheet about the size of A4 (210mm by 297mm) will produce a cone in the photo below. It is useful as a snack container too.

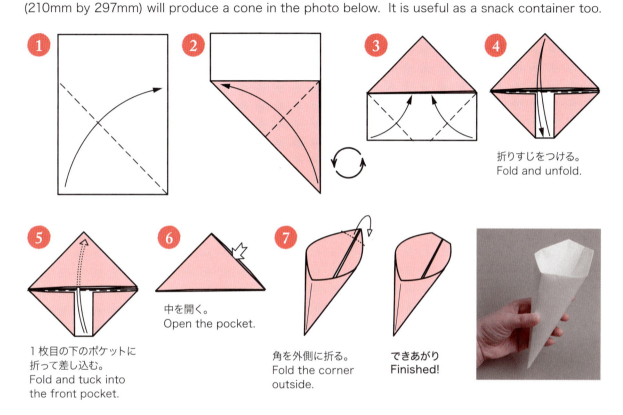

Column

折り紙で世界をつなぐ

　「盲目の折り紙大使」として知られた加瀬三郎さん（1926 〜 2008）は、子供の頃に失明しましたが、独学で折り紙を学び、作品の創作にも取り組んでいました。ある時、報道カメラマンの田島栄次さんに頼まれて、来日していたベトナム難民の子供たちに折紙を教えたところ、暗い顔をしていた子供たちが笑顔になり、歓声を上げて喜んでくれたのです。これをきっかけに二人は、困難な生活を送る子供たちに折り紙を教えるため、世界各国の学校や福祉施設を訪問して回るようになりました。

　そうした活動の中で特に人気だったのが、奥田光雄さんの名作「キツネ」(p.34) です。教わった子供の一人がとても喜んで「ハローフォックス」と名付けたことから、この名前が広まりました。

だましぶね Trick boat 写真 >> p.8 難しさ：★★

あっという間に舟の帆が艪先に変わる不思議な折り紙です。持った相手をびっくりさせるところから「だましぶね」の名前で伝承されてきました。素朴な仕掛けですが、場を盛り上げるのに一役買ってくれます。

Magical model that the boat sail can change to the bow in a moment. It's been handed down with the name "trick boat" because it can amaze those who hold one end of it. It's a simple trick, but helpful to brighten up the gathering.

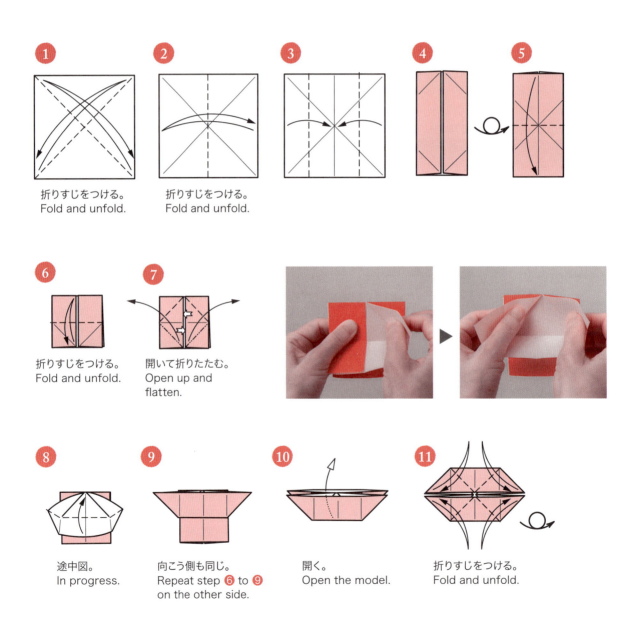

38

⑫
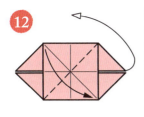 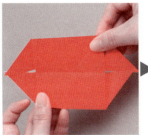  

⑬

できあがり
Finished !

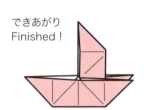

遊び方 How to play

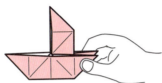

これは舟です。
帆を持って目をつぶってね。
This is a sail boat.
Hold the sail, and close your eyes.

1️⃣ 自分が舟の後ろの部分を持った状態で、相手に帆を持って、目をつぶってもらいます。
While holding the stern of the boat, ask your partner to hold the sail and close his/her eyes.

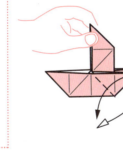

2️⃣ その間に図のように後ろの部分を素早く折り下げ、再び持ち直したら目をあいてもらいます。
After that, fold 2 corners down like the diagram. Then ask your partner to open his/her eyes.

さあ、目をあけて。
Open your eyes.

3️⃣ 帆を持っていたはずなのに、いつの間にか舳先を持っている！
Your partner was holding the sail, but now holds the bow!

あれ、帆を持ってと言ったのに、どうしてそこを持ってるの？
Hey, I said you to hold the sail.
Why do you hold there?

最後に、また目をつぶってもらい、舳先を持った状態から、帆を持った状態にもどしてもいいですね！
It is also fun to ask your partner to close his/her eyes again and you return the boat to former position afterwards.

応用例：かざぐるま
Application : Windmill

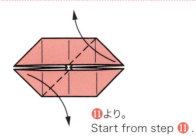 

⑪より。
Start from step ⑪.

できあがり
Finished!

39

羽ばたく鶴　Flapping crane　写真 >> p.7　難しさ：★★

「折り鶴」は知っていても、少し変えるだけでできるこの作品は知らないという方は多いのではないでしょうか。折り鶴と合わせて折ってみましょう。
Most of us know how to make origami crane, however、few know how to make this model which can be made with a little modification from the origami crane. Let's try to make this along with the origami crane.

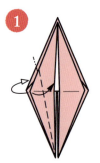

1
鶴の基本形（p.29）から折り始める。
Start with the Crane Base (p.29).

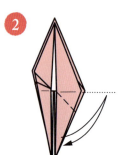

2
折りすじをつける。
Fold and unfold.

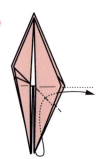

3
中わり折り。
Inside reverse fold up.

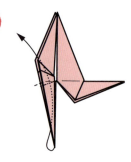

4
中わり折り。
Inside reverse fold up.

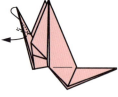

5
中わり折り。
Inside reverse fold.

6
できあがり
Finished!

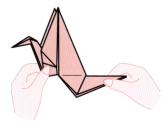
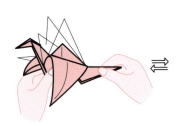

図のように持って尾を左右に動かすとパタパタ羽ばたきます。
あらかじめ羽を外側に何度か開いて折り癖をつけておくと羽ばたきやすくなります。
Hold the model as shown above and move its tail back and forth, so that it flaps its wings.
Spreading the wings several times outside makes it easy to flap.

水飲み鳥 Drinking bird 写真 >> p.9   難しさ：★★

小鳥がひょっこりと首を伸ばして水を飲む、驚きの折り紙です！　動かす時、指を差し込む位置に注意して下さい。立てて素早く動かすと、キツツキにもなります。
Amazing model that a small bird peeking at the bowl to drink water! Note that your fingers need to be inserted in the right places. It can also become a woodpecker, when you point its beak upward and move it quickly.

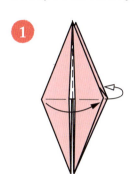

鶴の基本形 (p.29) から。
表裏1枚ずつめくる。
Start with the Crane Base(p.29). Close the front layer and the back layer.

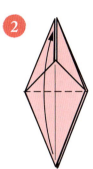

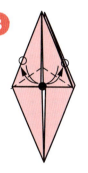

○と●を合わせて折りすじをつける。
Bring the edges marked with ○ onto ● and crease.

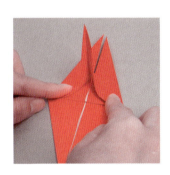

つまんで折りたたむ。
Pick the upper corner, pull it down and flatten.

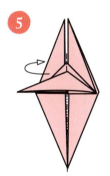

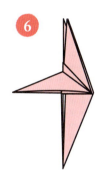

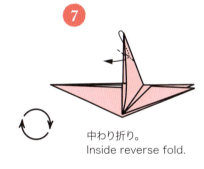

中わり折り。
Inside reverse fold.

鳥の前の部分を開き、真ん中が平らになるようにつぶす。
Open the flap in front of the bird and flatten the middle part to form a bowl.

できあがり
Finished!

動かし方
How to move it

親指と人差し指を両側から差し込む。
Insert your thumb and index finger from both sides.

図のように持ち、差し込んだ指を上下に動かす。
Hold the model as shown and move the inserted fingers up and down as in the diagram ❸.

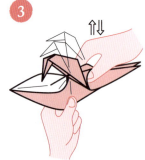
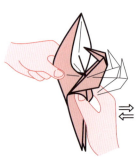

「これは小鳥です」「小鳥が水を飲みますよ。見ていて下さいね」などと話しかけながら動かしてみましょう。
Let's move the model while talking to the others, "This is a bird, it drinks water, please look at it."

立てて素早く動かすと、キツツキになる。
This model can be a woodpecker when you hold it upright and move it quickly.

楽しい折り紙ゲーム

折った作品でゲームをすると、さらに交流が深まりますよ。終了後に折り紙の「メダル」で表彰式もよいですね。

◇「帆かけ舟」レース
　廊下や長机を使い、スタートとゴールの位置を決めてレースをしましょう。がんばりすぎて倒れないように！

◇「バッタ」入れ競争
　各チームのテーブルに大きな紙で折った四角箱か八角箱を置き、ヨーイドンで「バッタ」をジャンプさせ、制限時間内に箱に入った数を競います。7.5cm角の紙を配って折るところから競争すると、さらに白熱します。

◇「アクロバット・ホース」回転競争
　10回挑戦する間に、何回着地を成功できるか競います。大人もつい熱くなってしまいます。

◇「ケ・ケ・ケ」でキャンディーすくい
　お盆などに個包装の小さいお菓子を山盛りにし、「ケ・ケ・ケ」の口を使ってすくい取ります。もちろん、取ったお菓子は自分のものに！

◇「三角キャッチ」で風船リレー
　「三角キャッチ」を持って一列に並び、折り紙の風船を、前から順に三角キャッチだけを使って受け渡し、ゴールまで運びます。だんだん大きな風船にして最後は本物の風船を回すなど、盛り上げる工夫をしてみましょう。

◇「TFO」の輪くぐり
　フラフープなどの輪を用意し、遠くから「TFO」を投げてくぐらせます。盛り上がるよう、輪の大きさや数、投げる距離を工夫しましょう。チラシなど様々な大きさの規格紙で折り、飛び方を比べるのも面白いですよ。

アクロバットホース　Acrobatic horse　写真 >> p.12　難しさ：★★

中国で伝承されてきた作品です。鶴の基本形をもとに、途中、ハサミで切り込みを入れて作ります。完成作品の尻尾を上手に跳ね上げると、くるりと一回転して立ちます。
This is a traditional Chinese model that starts from the crane base. You need to make cuts in the process. When you flick its tail upward, it will make a front flip!

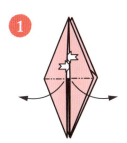

① 鶴の基本形 (p.29) から。
正方基本形 (p.28) まで戻す。
向こう側も同じ。
Start with the Crane Base (p.29). Unfold back to Square Base(p.28).

② ━まで切りこみを入れる。
向こう側も同じ。
Cut to the red line.
Repeat on the other side.

③ 向こう側も同じ。
Repeat on the other side.

④ 角を折る。
向こう側も同じ。
Fold the 2 corners. Repeat on the other side.

⑤ 向こう側も同じ。
Repeat on the other side.

⑥ 中わり折り。
Inside reverse fold.

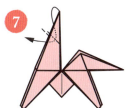

⑦ 中わり折り。
Inside reverse fold.

⑧ 中わり折り。
Inside reverse fold.

できあがり
Finished!

尾の下から指ではじきましょう。
うまくいくと1回転して立ちます。
Flick the tail up with your finger. If all goes well, it somersaults and stands up.

43

ケ・ケ・ケ 山梨明子 [作] 写真 >> p.11 難しさ：★★

Ke・Ke・Ke (Big mouth frog) by Akiko Yamanashi

両手で頭の後ろを持って動かすと、口が大きくパクパク動きます。折り紙愛好家の手から手へ伝わり、ヨーロッパからブラジルまで、世界中に広まりました。伝わる間に、「ケ・ケ・ケ」の名前が付けられました。
Picking both edges behind of head with fingers and moving the fingers will make its mouth open and close largely.
The model has been known widely among origami enthusiasts, from Europe to Brazil, all over the world. It was named "KeKeKe" during its spread.

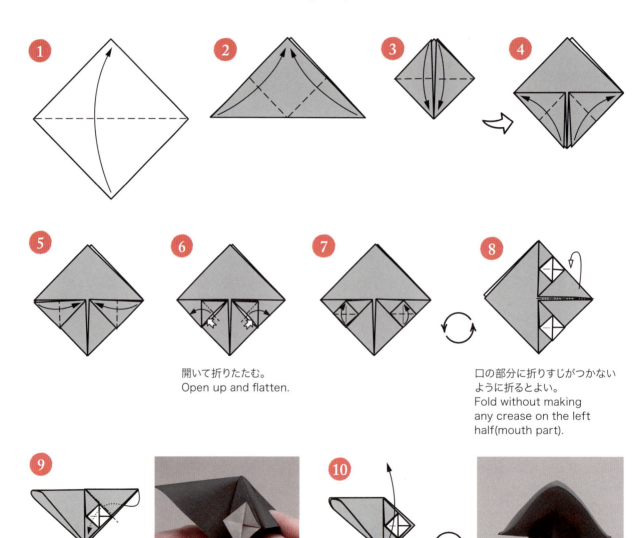

開いて折りたたむ。
Open up and flatten.

口の部分に折りすじがつかないように折るとよい。
Fold without making any crease on the left half(mouth part).

中わり折り。
Inside reverse fold.

開く。
Unfold.

44

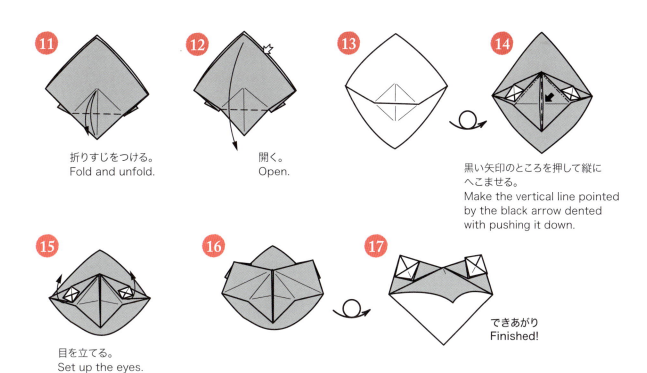

動かし方
How to move it

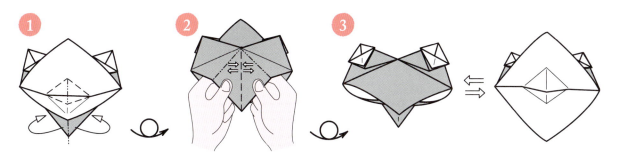

図のように持って、寄せたり戻したりすると、口をパクパクさせる。
Hold the model as shown (back view) and close/open the edges. The frog will open and close its mouth.

パクパクかえる　辻　昭雄 [作]　写真 >> p.11　難しさ：★★★
Talking frog by Teruo Tsuji

「ケ・ケ・ケ」の応用で生まれた名作です。1枚の紙から、頭と体の両方が折り出されています。
動かして遊べるだけでなく、立てて飾ってもかわいいですよ。
This is a masterpiece designed based on "Kekeke." This shapes both head and body from one piece of paper. You can enjoy it as a lovely standing decoration as well as play with the motion.

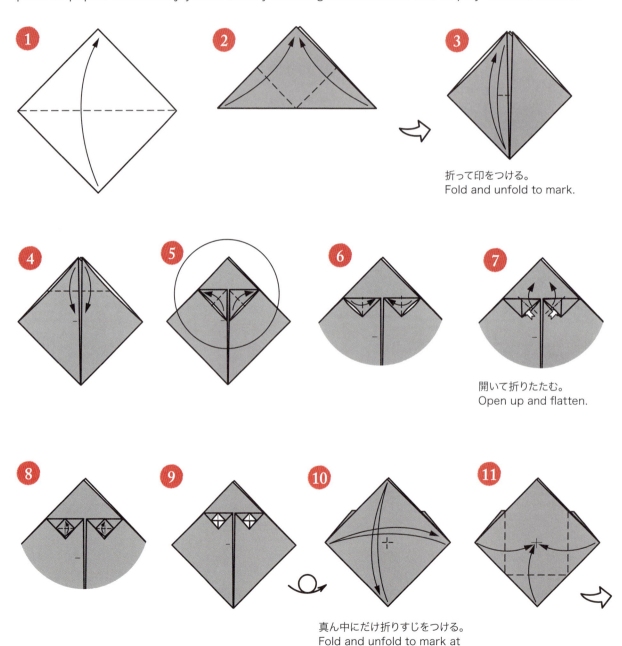

折って印をつける。
Fold and unfold to mark.

開いて折りたたむ。
Open up and flatten.

真ん中にだけ折りすじをつける。
Fold and unfold to mark at the center.

46

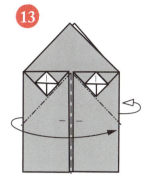

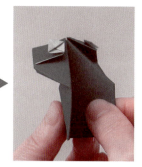

12
折りすじをつける。
Fold and unfold.

13
口の部分を折らないように、開いて折りたたむ。
Fold as shown above using the creases made in step 12. Try not to crease on the triangular part at the top (frog's mouth).

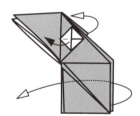

14
目を立てて体を開く。
Set up the eyes and unfold the body.

15
口を開く。
Open the mouth.

16

17

できあがり
Finished!

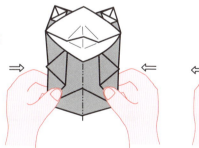

動かし方
How to move it

図のように持って、寄せたり戻したりすると、口をパクパクします。
片手でも動かせます。
Hold the frog as shown in the diagram and push in/pull out to open/close its mouth. You can move it with one hand.

メダルとメダルのくす玉　Medal and kusudama　写真 >> p.12　難しさ：★★

「くんしょう」や「菊の花」としても知られる伝承作品です。「メダル」を6枚折って角を規則正しく貼り合わせると、豪華なくす玉になります。

This is a traditional model known as "Kunsho (Medal)," or "Chrysanthemum." You can make a gorgeous kusudama by gluing 6 of them together at the corners.

メダル Medal

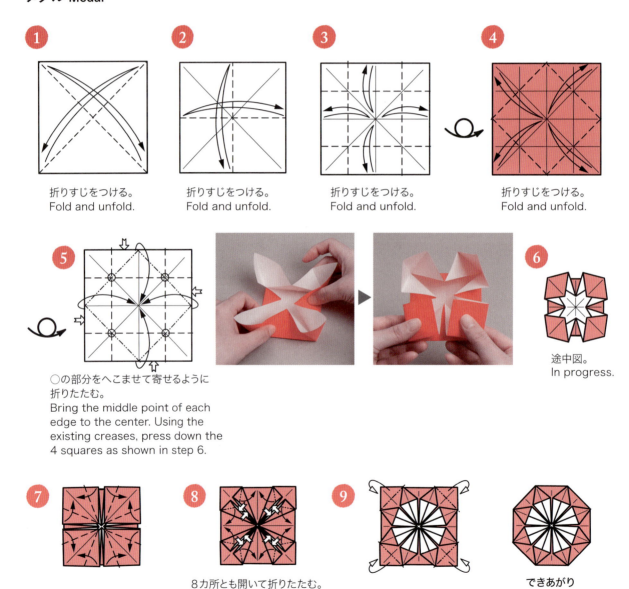

48

メダルのくす玉 Kusudama

「メダル」を6枚折り、角（▲の部分）にのりをつけて貼り合わせる。
Glue the corner triangles as shown in the photo to form a cube.

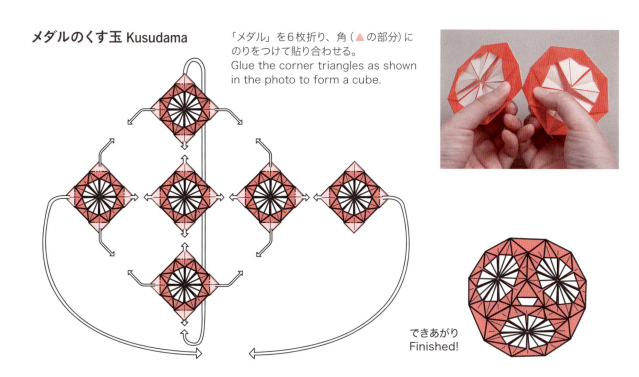

できあがり
Finished!

Column

旅先での出会い

　先年コロンビアを訪ねた際、観光地でロープウェイを待つ長い行列に並んでいた時のことです。待ち時間も長く、周りにいた子供たちが退屈な様子だったので、カバンに入れていた折り紙を取り出して、「羽ばたく鶴」を折って見せました。すると、大きい子供も小さな子供もパッと明るい顔になり、「Japanese ORIGAMI」と言いながら動かし方を見せて手渡すと、大喜びで遊び始めました。

　それを見ていた近くの大人たちも「僕も、私も」と手を出すので、「羽ばたく鶴」や「水飲み鳥」を折って、手持ちの紙がなくなるまで渡しました。中には子供が持っているのを取り上げて？遊び始めるお父さんも。ロープウェイの順番が来たのに、お互いまだ乗らなくてもいいと思うくらいで、退屈な待ち時間が楽しい折り紙ショータイムになりました。

　飛行機や電車の中、空港や待合室などで、折り紙を取り出して折っていると、人が集まってくることがあります。こういう場合、机がなくても折ることができて、遊べる折り紙が効果的。この本でも紹介している「羽ばたく鳥」、「羽ばたく鶴」、「水のみ鳥」、「キツネ（ハローフォックス）」、「ケ・ケ・ケ」などを折った後に動かして見せると、子供も大人もわっと歓声を上げてくれます。子供に見せているうちに、大人の方が興味を持って夢中になってしまうことも。時に若いお父さん、男性は国を問わず動く折り紙が大好きです。

　周りの人が時間を持て余して、ちょっと重い空気が流れているような時、なにげなく折り紙を取り出してみてはいかがでしょう？ささやかな国際交流ができるかもしれません。

（藤本）

花のコマ　Flower spinning top　写真 >> p. 8　難しさ：★★

日本全国に広まって楽しまれている「コマ」です。子供たちへのプレゼントにも最適！
3つの部品を組み合わせて作るので、色の組み合わせを楽しんでください。
This model is widely known and enjoyed all over Japan, the best gift for kids!
Because it is made of 3 separate sheets, you can enjoy various color combinations too.

同じ大きさの3枚の紙を使い、A、B、Cの
パーツを折って組み合わせます。
Using 3 sheets of paper in same size,
fold the A, B and C, then combine them.

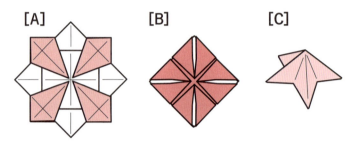

[A]

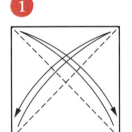

折りすじをつける。
Fold and unfold.

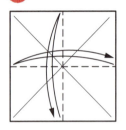

折りすじをつける。
Fold and unfold.

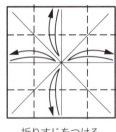

折りすじをつける。
Fold and unfold.

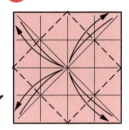

折りすじをつける。
Fold and unfold.

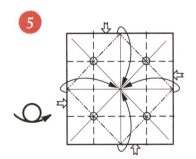

○の部分をへこませて寄せるように
折りたたむ。
Bring the middle point of each
edge to the center. Using the
existing creases, press down the
4 squares as shown in step ❻.

途中図。
In progress.

50

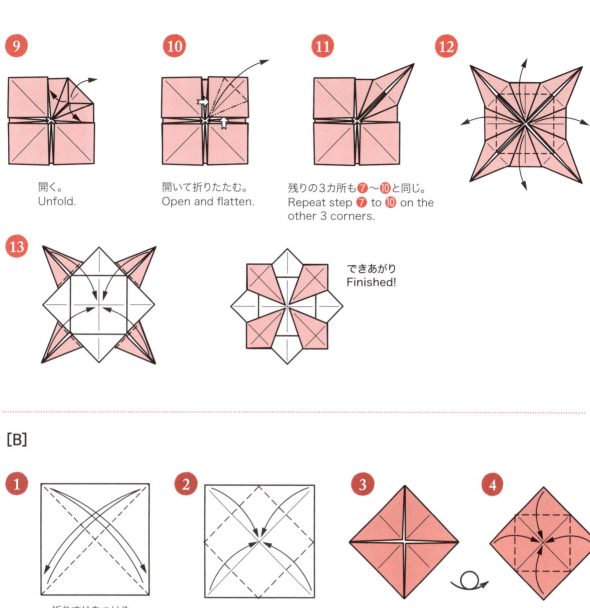

⑨ 開く。
Unfold.

⑩ 開いて折りたたむ。
Open and flatten.

⑪ 残りの3カ所も⑦〜⑩と同じ。
Repeat step ⑦ to ⑩ on the other 3 corners.

できあがり
Finished!

[B]

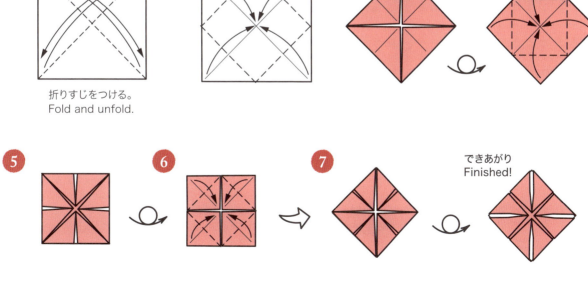

① 折りすじをつける。
Fold and unfold.

できあがり
Finished!

51

[C]

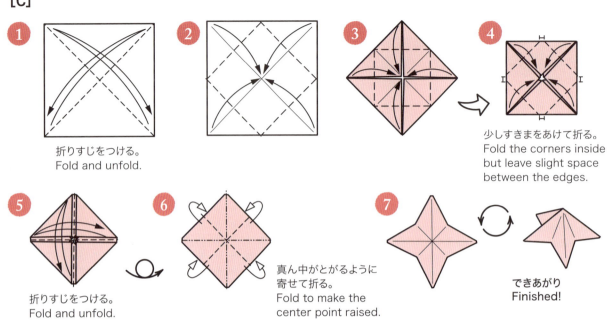

1. 折りすじをつける。 Fold and unfold.
2. (no caption)
3. (no caption)
4. 少しすきまをあけて折る。 Fold the corners inside but leave slight space between the edges.
5. 折りすじをつける。 Fold and unfold.
6. 真ん中がとがるように寄せて折る。 Fold to make the center point raised.
7. できあがり Finished!

組み合わせ方
How to combine

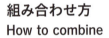

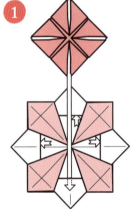

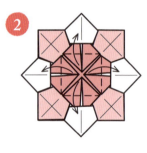

Aの中央にBを乗せ、4つの角をそれぞれ白い矢印のところに差し込む。
Put B on the center of A and insert the 4 corners in the pockets indicated by the white arrows.

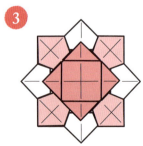

AとBを組み合わせたところ。
This shows A and B combined.

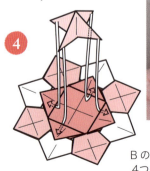

Bの中央にCを乗せ、4つの角をそれぞれ差し込む。
Put C on the center of B and insert the 4 corners.

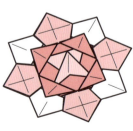

できあがり
Finished!

TFO（つくば型飛行物体） 芳賀和夫 [作]　写真 >> p.10　難しさ：★★
TFO(Tsukuba-model Flying Object) by Kazuo Haga

投げるとヒューっとよく飛びます。山が２つ並んだ形が作者の住むつくば市の筑波山に似ていることから、UFO（未確認飛行物体）をもじって、TFO（つくば型飛行物体）と名付けられました。水野政雄さんの「鯉」をもとに考案されたそうです。
ここでは、Ａ判、Ｂ判などの規格判の紙で折るものと、正方形の紙で折るものをご紹介します。
This model flies well when you throw it. The shape of two peaks reminds the designer Mt. Tsukuba located near his place. So he came up with the name "TFO(Tsukuba Flying Object)" a pun of UFO. It was inspired from "Koi carp" designed by Masao Mizuno.
There are two methods: folding with rectangular paper such A size or B size, and folding with square paper.

長方形の紙で折る（Ａ判、Ｂ判など）
Folding with rectangular paper as A size or B size

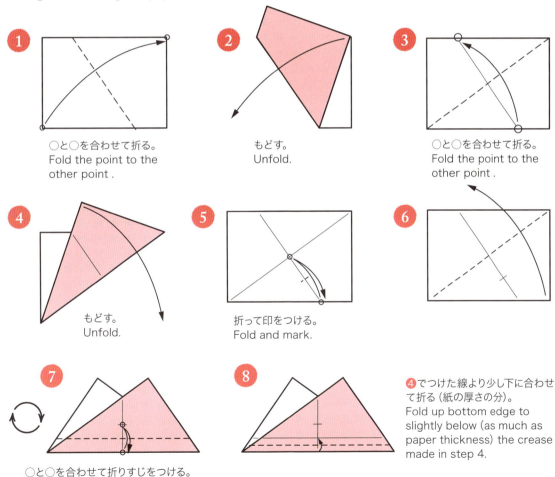

① ○と○を合わせて折る。
Fold the point to the other point.

② もどす。
Unfold.

③ ○と○を合わせて折る。
Fold the point to the other point.

④ もどす。
Unfold.

⑤ 折って印をつける。
Fold and mark.

⑥

⑦ ○と○を合わせて折りすじをつける。
Fold the point to the other point and unfold.

⑧ ❹でつけた線より少し下に合わせて折る（紙の厚さの分）。
Fold up bottom edge to slightly below (as much as paper thickness) the crease made in step 4.

53

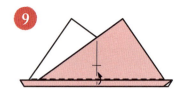
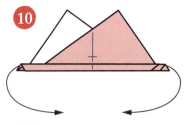

円筒状になるように、くせをつける。
Shape it cylindrical.

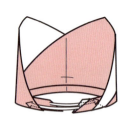

両端を互いに差し込む。
Insert each tip into the pocket on the other end.

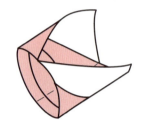

できあがり
Finished!

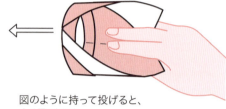

図のように持って投げると、よく飛びます。
Throwing it like the figure above makes it fly well.

正方形の紙で折る
Folding with square paper

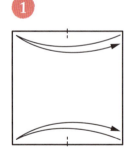

折って印をつける。
Fold and mark.

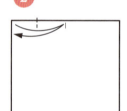

折って印をつける。
Fold and mark.

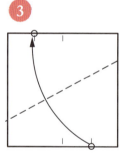

○と○を合わせて折る。
Fold the point to the other point.

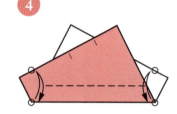

○と○を合わせて折りすじをつける（端の方はつけないでおく）。
Fold the point to the other point and unfold without making any crease on both of the ends.

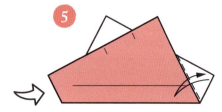

折りすじをつける。
Fold and unfold.

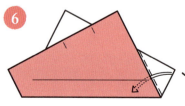

折って差し込む。
Fold and insert a flap.

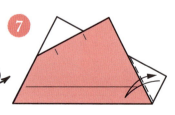

折りすじをつける。
Fold and unfold.

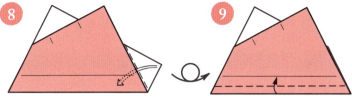

❹でつけた線より少し下に合わせて折る（紙の厚さの分）。
Fold up bottom edge to slightly below (as much as paper thickness) the crease made in step ❹.

折って差し込む。
Fold and insert a flap.

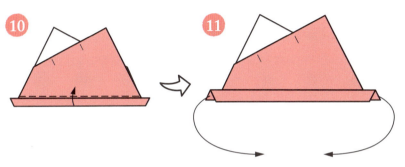

円筒状になるように、くせをつける。
Shape it cylindrical.

 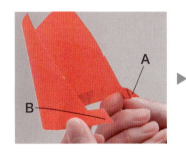 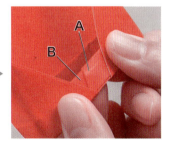

両端を互いに差し込む。
Insert each tip into the pocket on the other end.

 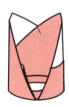 

できあがり
Finished!

55

折り紙を教えるにあたって

　折り紙を折ったことのない人は、紙の角や縁をきちんと合わせることや、しっかり折りすじをつけることを知らないことがあります。最初の一折りが肝心ですので、教える時は、角が合い、折りすじがしっかりついているかに気を配りましょう。初めは、きちんと折れなくてもできる簡単な作品を選ぶとよいでしょう。
　うまく折れなくても、完成すればうれしいものです。手伝ってあげながら楽しく折りましょう。

《親しい人に教えたり、旅行先などで気軽に教える場合》（1〜4人程度）

◇教える相手の人数が少ない時は、言葉ができなくても、相手の眼の前でゆっくりと折り、真似をしてもらうことで教えられます。相手が1人の時は、横に並んで教える方がわかりやすいです。

◇海外では折り紙用紙が手に入りにくいので、日本から持っていくと便利です。ノートの切れ端など、その場にある紙を正方形に切って折るのもよいでしょう。

《ボランティア活動でのワークショップなど、多人数に教える場合》（5〜15人程度）

◇習う人が増えるほど、教えることが大変になり、時間も長くかかります。

◇教える作品は、簡単すぎると思えるぐらいの、ごくやさしい作品を選びましょう。また、折り見本をいくつか作っておきましょう。時間が余った時のために、複数の作品を教えられるよう準備しておくと安心です。折ったものを活用したゲームなども喜ばれます（p.42のコラム参照）。

◇教える側も複数いる場合
　ボランティアグループで折り紙を利用する場合など、教える側も数名以上いる場合は、少人数のグループに分かれて折ると、スムーズに教えられ、交流もできます。

◇1人で教える場合
　1人の人が多人数に教えるには、それなりの経験や準備が必要となります。言葉ができない場合は通訳が必要なこともあります。以下は折り紙講師の講習テクニックです。参考にしてください。

・遠くからでも折っているところがよく見えるよう、教える人は、片面が色無地、片面が白で、20〜35cm角ぐらいの大きな紙を使います。市販の大きな折り紙でも、無地に近い包装紙を正方形に切ってもよいでしょう。
・紙を前方の壁に押し付けるか空中に垂直に掲げて、相手に紙の動きを見せながら折ります。自分の手や体で紙を隠さないように気をつけましょう。
・大きな声でゆっくり、はっきりとしゃべり、ゆっくりと紙を動かします。端の方にいる人にもよく見えるよう、体の方向を変えて同じ工程を何度も繰り返して見せます。
・一工程ずつ、全員が折れているか確認します。次に講師の持っている紙の向き（上下、左右、裏表、など）を伝え、全員が向きをそろえてから次の工程を説明するようにします。
・習う人は、ごく普通の折り紙用紙（表が色無地、裏が白、15cm角）で折ってもらうとよいでしょう。最初に折る時は、小さい紙（7.5cm角）や、両面に色のある紙、柄のある紙は避けた方が無難です。
・人数が多い時は、遅れている人をフォローするアシスタントがいると助かります。

日本を折る Fold Japanese motifs.

兜　Samurai helmet　写真 >> p.15　難しさ：★

おなじみの伝承の兜。「サムライ・ヘルメット」として外国人にも人気です。新聞紙大の紙で折ると、かぶるのにちょうどよい大きさになります。

This is a very popular traditional model and well known as "Samurai helmet" all over the world. When you make this with newspaper-sized paper, it will become best size for being put on your head.

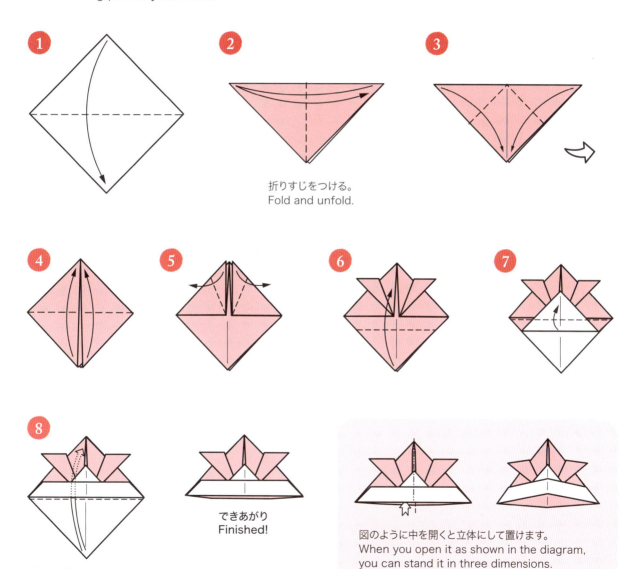

角兜　Samurai helmet with long horns　写真 >> p.15　難しさ：★

兜（p.57）に、ほんの一折り（❸）加えるだけで、兜の角（鍬形）が長く立派になります。
出来上がりは、もとの兜より少し小さくなります。
With just one additional fold (❸) to the "Samurai helmet"(p.57), this model has longer and remarkable horns. Completed model will be a little smaller than the "Samurai helmet".

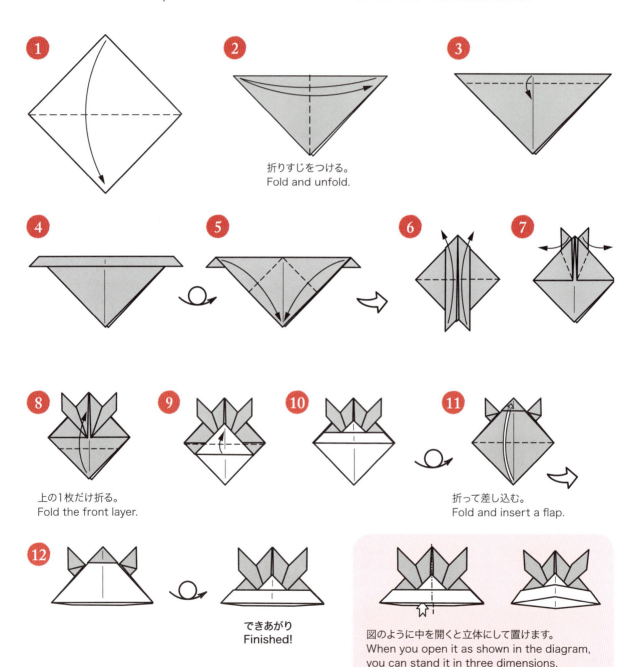

はっぴ Happi (Traditional Japanese costume) 写真 >> p.16 難しさ：★★

縦横の比率が 2.5：1 から 3：1 ぐらいの長方形で折ります。ちょうど手ぬぐいの比率です。
粋な柄の手ぬぐいで折ってプレゼントしてみませんか。
This model can be made with a paper of 2.5 to 3 : 1 ratio. The ratio is just same with that of *tenugui*. Why don't you make this model from a *tenugui* with cool drawing for a great gift?

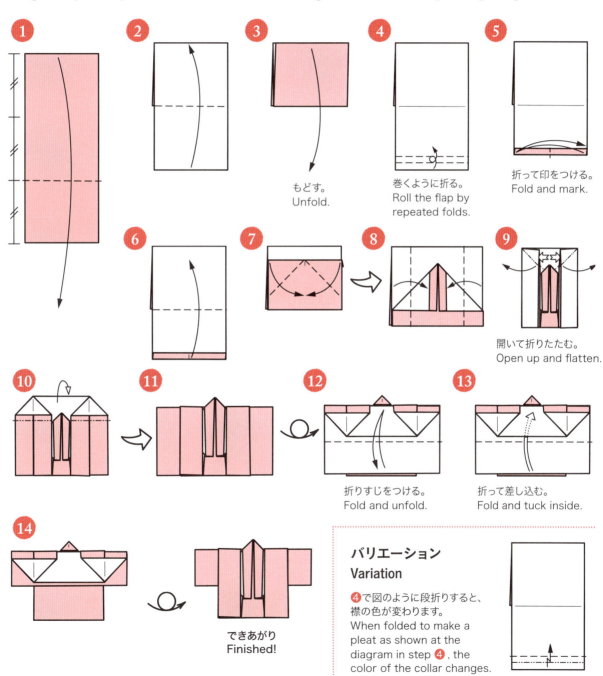

おひな様 Hina dolls 写真 >>p.15　難しさ：★★

山梨明子 [作]　Akiko Yamanashi

伝承のコップの折り方を応用したお雛様です。着物の裾の後ろ側を折ると、立てて飾ることもできます。
15cm 角の紙で折ると18〜20cm 角の紙で折った「六角封筒」(p.85) にぴったり入り、台座にすることもできます。
This model is designed by modifying the traditional "cup." The model stands when you fold the bottom part of the kimono behind. You may want to fold this model using 15cm square paper, so that it makes perfect fit into the "hexagonal envelope" (p. 85) made by 18 to 20cm square paper. The envelope can be a pedestal as well.

めびな Female doll

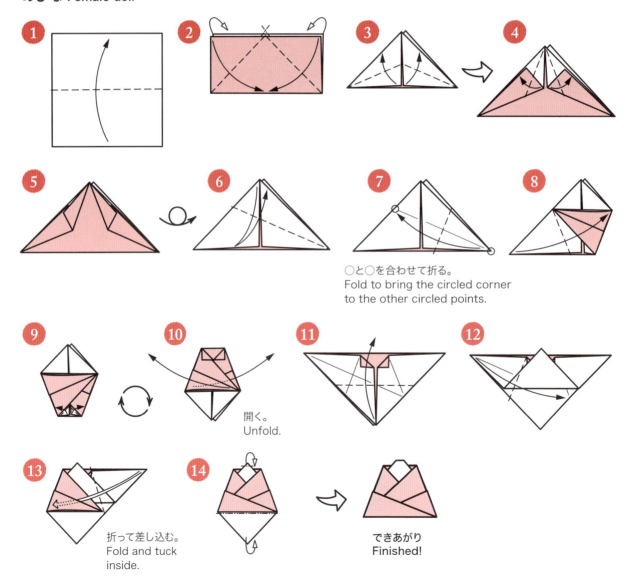

おびな Male doll

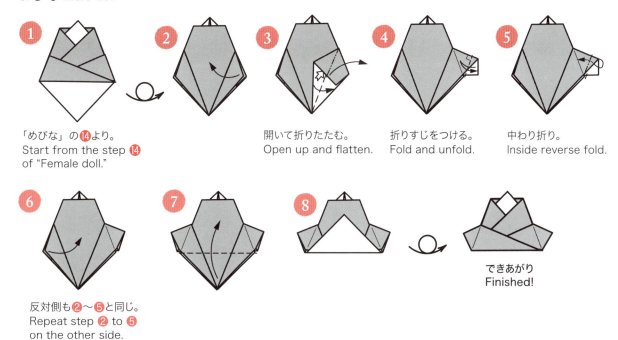

1. 「めびな」の⑭より。
Start from the step ⑭ of "Female doll."

2. (turn over)

3. 開いて折りたたむ。
Open up and flatten.

4. 折りすじをつける。
Fold and unfold.

5. 中わり折り。
Inside reverse fold.

6. 反対側も❷〜❺と同じ。
Repeat step ❷ to ❺ on the other side.

7.

8. できあがり
Finished!

参考 For reference

コップ Cup

「おひな様」のもとになっている伝承作品です。実際に水を入れて使うこともできます。
The Hina dolls were designed based on this traditional cup. You can actually use it with water.

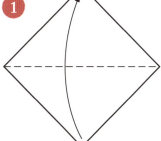
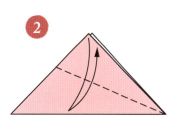

2. 上の1枚だけ折りすじをつける。
Fold front layer only and unfold.

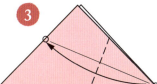
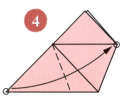
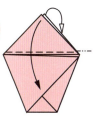

3. ○と○を合わせて折る。
Fold to bring the circled corner to the opposite circled edge.

4. ○と○を合わせて折る。
Fold to bring the circled corner to the opposite circled edge.

5. できあがり
Finished !

61

四季の富士山　Four seasons at Mt. Fuji　写真 >> p.14　難しさ：★★

藤本祐子 [作]　Yuko Fujimoto

1枚ずつめくりながら、富士山の春夏秋冬の様子と日本の四季を紹介することができます。
日本を紹介する時に使ってみて下さい。
With flipping one layer by one layer, you can introduce four seasons and Mt. Fuji.
I recommend you to use this to introduce Japan.

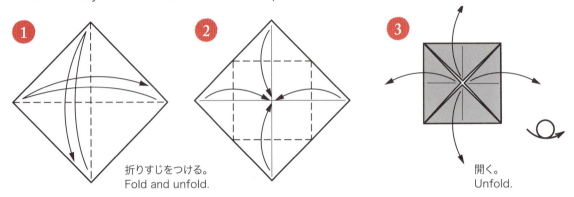

1. 折りすじをつける。
Fold and unfold.

2.

3. 開く。
Unfold.

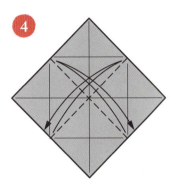

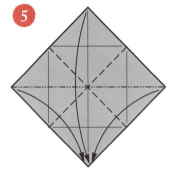

15cm 角の用紙で折る場合は
高さ 5mm ぐらい。
Using 15 x 15cm paper,
the height should be
about 5 mm.

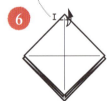

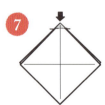

4. 折りすじをつける。
Fold and unfold.

5. つけた折りすじを使って
折りたたむ。
Using crease lines,
fold and flatten.

6. しっかりと折りすじを
つける。
Fold firmly and
unfold.

7. 上の部分を中に
押し込む。
Push the top in.

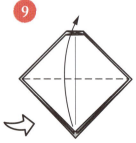

8. 展開図
Crease pattern

9. 上の1枚だけ折る。
Fold the front layer.

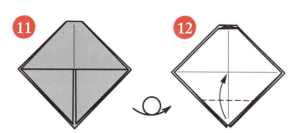

後ろのポケットに折り入れる。
Fold and tuck into the back pocket.

すぐ後ろに折って差し込む。
Fold and tuck into the back pocket.

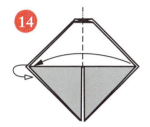
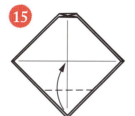
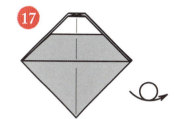

表裏1枚ずつめくる。
Close the front layer and the back layer.

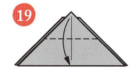

段折り。
Fold to make a pleat.

できあがり
Finished!

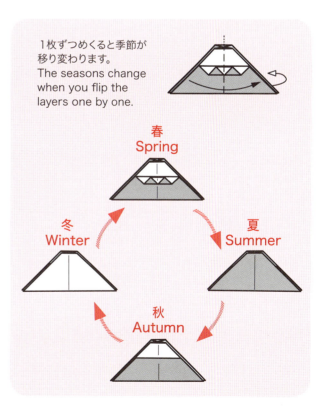

1枚ずつめくると季節が移り変わります。
The seasons change when you flip the layers one by one.

春 Spring
夏 Summer
秋 Autumn
冬 Winter

奴さん　Yakko-san　写真 >> p.13　難しさ：★

「折り鶴」と同じく、日本の伝承折り紙を代表する「奴さん」。この折り方の基本から多くの作品が生まれています。
"Yakko-san" is one of the most famous traditional models as same with crane. Base shape coming from this has been resulting in many models.

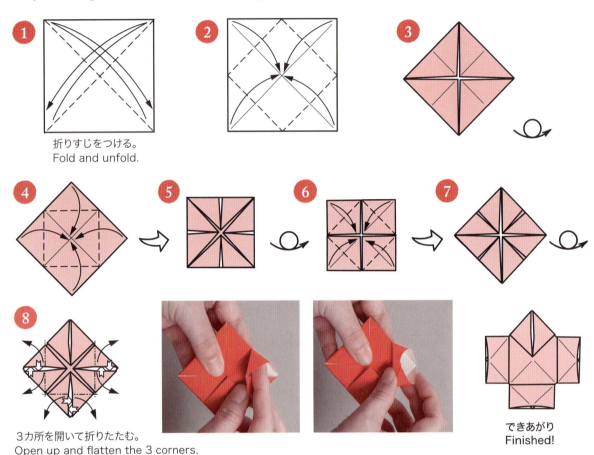

折りすじをつける。
Fold and unfold.

3カ所を開いて折りたたむ。
Open up and flatten the 3 corners.

できあがり
Finished!

折り紙パフォーマンスはいかが？

　海外では講習などを始める前に、気持ちをほぐす「ice break time」があります。簡単な自己紹介をして自分のファーストネームやニックネームを伝えたり、お互い握手するのも一つ。折り紙教室の場合は、素敵な作品を見せたり、「これが1枚の折り紙で切ったり貼ったりしないでできているの！?」と思う作品（p.80の「下駄」など）を大きな紙で折って行き、広げてもとの正方形に戻すパフォーマンスも盛り上がります。

　日本の紹介を兼ねて、日本一の山、と富士山を見せたり、忍者のような被り物をして、手裏剣を見せたり

袴 Hakama 写真 >> p.13 難しさ：★★

この作品も「奴さん」の応用で折ることができる作品の一つです。
This model is the one of them, which can be made from the "Yakko-san".

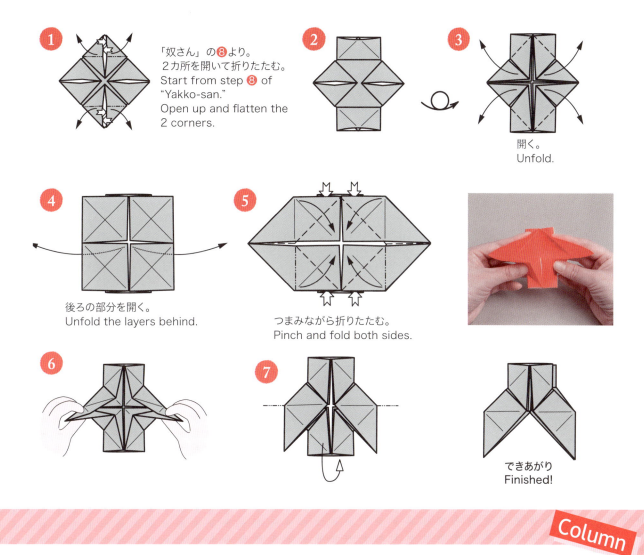

1. 「奴さん」の❽より。2カ所を開いて折りたたむ。
Start from step ❽ of "Yakko-san." Open up and flatten the 2 corners.

3. 開く。Unfold.

4. 後ろの部分を開く。Unfold the layers behind.

5. つまみながら折りたたむ。Pinch and fold both sides.

できあがり Finished!

Column

するのもパフォーマンスとして面白いのではないでしょうか。
　日本で海外からの留学生に折り紙を教えた方の話ですが、「四季の富士山」(p. 62) を最初は「富士山」とだけ伝えて一緒に折り、作った後で「春、夏、秋、冬…」と言いながらめくって見せると、わっと歓声が上がったそうです。動かして遊ぶ折り紙の場合、最初に見せてモチベーションをあげるのも一つのやり方ですが、作った後に「実はこの作品は、こんな風に遊べます」と紹介するのも、驚きを生んで効果的なことがあります。

忍者 笠原邦彦 [作]　写真 >> p. 13　難しさ：★★
Ninja by Kunihiko Kasahara

「奴さん」(p.64) と「袴」(p.65) の応用です。ポーズをつけると面白いですよ！
A variation of "Yakko-san" (p.64) and "Hakama" (p.65) are combined in this model.
Have fun with giving it some postures.

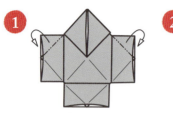

「奴さん」から折る。
Start with the "Yakko-san."

開いて折りたたむ。
Open up and flatten.

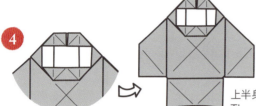

上半身のできあがり。
The upper body was finished.

組み合わせ How to combine

袴の前の部分の上の角を内側に折る。
Fold the upper corners of front layer of "Hakama" inside.

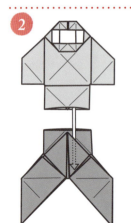

❶で折った後ろに上半身を差し込む。
Insert the upper body behind of the front layer of "Hakama".

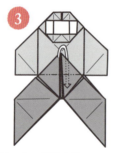

袴の上の部分を折って上半身に差し込む。
Fold the upper part of "Hakama" and insert it into the upper body.

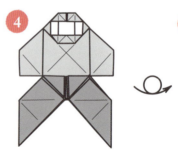

開く。
Unfold.

はかまを折り上げて角を上半身に差し込む。
Fold up the "Hakama" and tuck 2 corners into the upper body.

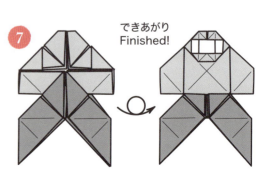

できあがり
Finished!

66

手裏剣 Ninja star (Dart) 写真 >> p.13 難しさ：★★

2枚の紙を左右対称に折って組みます。忍者や手裏剣は、特に男の子に大人気。
ぜひ折り方を覚えておきたい作品です。
Use two pieces of paper placed side by side and fold them in symmetrically same way. It's very popular especially with boys. This model is highly recommended to remember the steps.

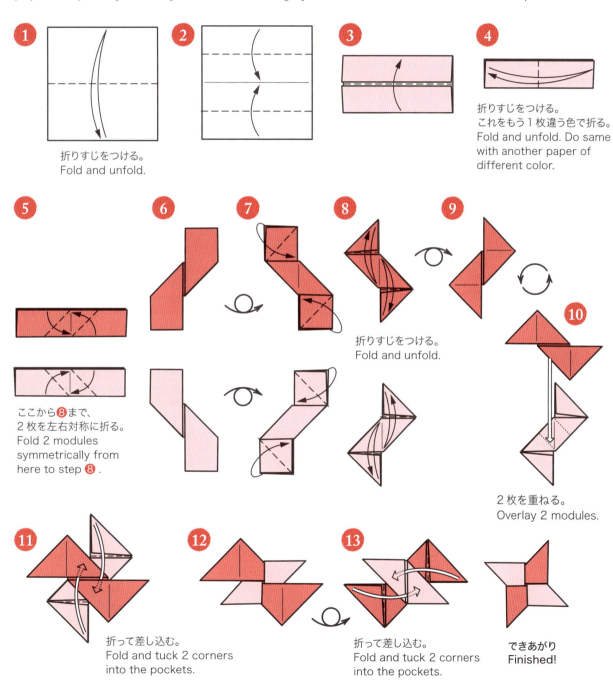

67

着物のお手紙　青柳祥子 [作]　写真 >> p.17　難しさ：★★
Kimono note card by Shoko Aoyagi

かわいい柄の紙で折り、帯の紙にメッセージを書いてプレゼントしましょう。
Pick a lovely paper and write a message on the *obi* part for a gift.

着物 Kimono

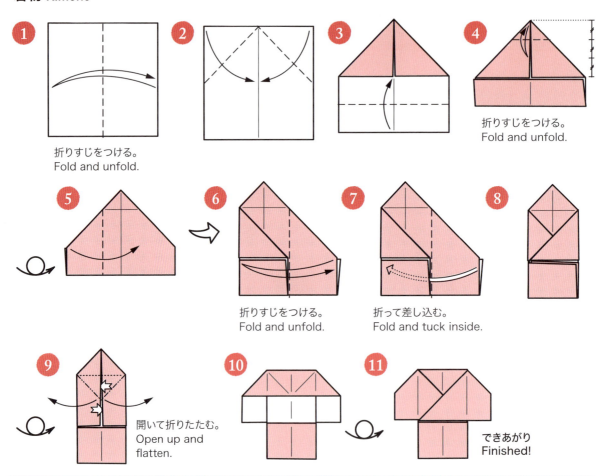

帯 Obi belt

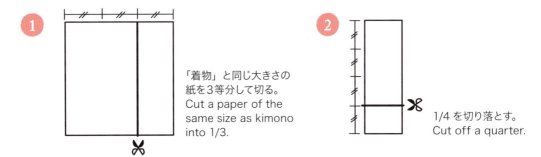

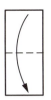

できあがり
Finished!

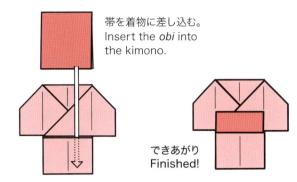

帯を着物に差し込む。
Insert the *obi* into the kimono.

できあがり
Finished!

正方形の切り出し方

Column

　海外では折り紙用紙が手に入りにくいので、新聞紙やパンフレット、ノートの切れ端など、その場にある長方形の紙を正方形に切る方法を覚えておくと役に立ちます。ここでは、2つの方法をご紹介しましょう。

[A]

一般的な方法です。新聞紙で「兜」を折る場合など、この方法で切るとよいでしょう。

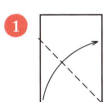 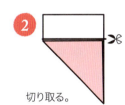

切り取る。

正方形の紙のできあがり！

[B]

同じ大きさの紙が2枚以上ある時は、こんな方法で切ることもできます。斜めの線をつけたくない作品や、硬めの紙の場合に適しています。

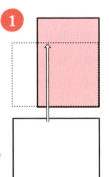 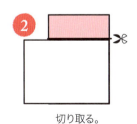

2枚の紙の下の縁と、右側の縁を、ぴったり合わせて置く。

切り取る。

正方形の紙のできあがり！

69

鶴の羽ばたき　布施知子 [作]　山梨明子 [応用]　写真 >> p.18　難しさ：★★

Flapping of crane by Tomoko Fuse, arranged by Akiko Yamanashi

伝承の「鶴」(p.28) の羽に「スライドパーツ」を重ねてつけます。このパーツは、布施知子さんの「鶴のはばたき」からのアレンジです。「鶴のはばたき」は重なった羽が美しい作品ですが、最後に一折り加えることで、羽をより長く伸ばすことができます。飾っても遊んでも楽しいですよ。

Add sliding parts to the wings of a Crane(p.28). This part is a modification of "Flapping of Crane" designed by Tomoko Fuse, which is beautiful with wings layered. Adding just one fold to the end to her work allow you to lengthen the wings longer. Either displaying or playing with this will offer you fun.

スライドパーツ / Sliding part

「鶴」の 1/4 の大きさの紙で折ります。
Fold with using a quarter sized paper used for crane.

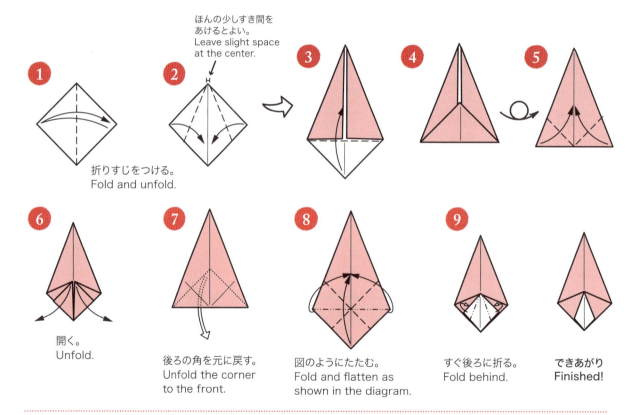

組み合わせ方 / How to combine

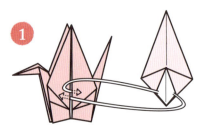

図のように、鶴(p.28) の左右の羽に、スライドパーツを1枚ずつ差し込む。
As shown in the diagram, insert sliding parts into the left and right wings of the Crane(p.28) one by one.

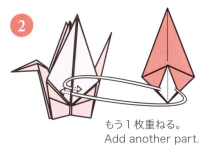

もう1枚重ねる。
Add another part.

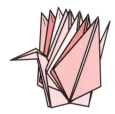

左右に好きなだけ重ねる。
図は左右に3枚ずつ重ねたところ。
Add as many as you like. The figure on the left has 3 sliding parts added on each wing.

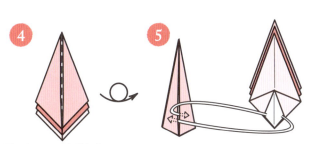

尾にもパーツを重ねたものを付ける。
Add parts to the tail.

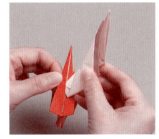
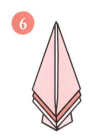

尾を後ろから見たところ。
This figure shows the back view of the tail.

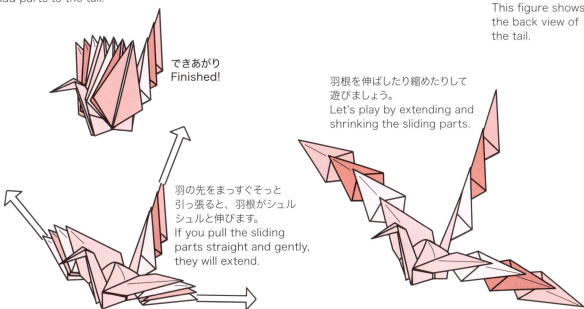

できあがり
Finished!

羽の先をまっすぐそっと引っ張ると、羽根がシュルシュルと伸びます。
If you pull the sliding parts straight and gently, they will extend.

羽根を伸ばしたり縮めたりして遊びましょう。
Let's play by extending and shrinking the sliding parts.

71

折羽鶴 Pleated wings crane 写真 >> p.19 難しさ：★★★

扇のような羽のひだが美しい鶴。飾りやプレゼントにもぴったりです。
羽のひだの部分の段折りは、図をよく見て折りましょう。
Crane having beautiful feathered wings like a fan. Best for a gift or decoration.
Follow the diagrams carefully when you fold the pleats on the wings.

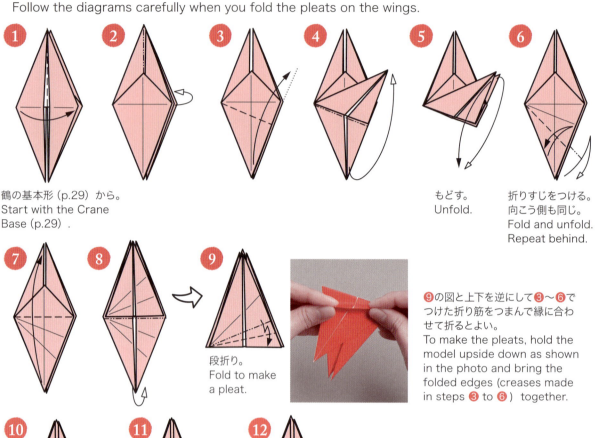

鶴の基本形 (p.29) から。
Start with the Crane Base (p.29).

もどす。
Unfold.

折りすじをつける。向こう側も同じ。
Fold and unfold. Repeat behind.

段折り。
Fold to make a pleat.

❾の図と上下を逆にして❸〜❻でつけた折り筋をつまんで縁に合わせて折るとよい。
To make the pleats, hold the model upside down as shown in the photo and bring the folded edges (creases made in steps ❸ to ❻) together.

段折り。
Fold to make a pleat.

向こう側も❾〜❿と同じ。
Repeat steps ❾ to ❿ on the other side.

内側に折る。
Fold inside.

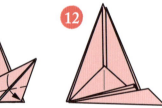

中わり折り。
Inside reverse fold.

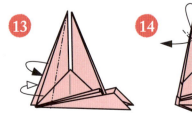

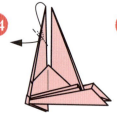

開く。
Open the wings.

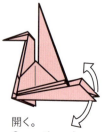

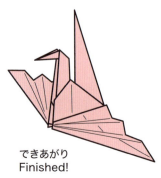

できあがり
Finished!

蓮の花 Lotus flower 写真 >> p.19 難しさ：★★

花びらをひっくり返すところが難しく紙が破れやすいのですが、和紙や紙ナプキンを使うと楽にできます。
大きな紙で折ると、パーティーのお菓子皿にも使えます。

It's difficult to pull the petals from one side to the other side without tearing the paper apart. You may want to use washi paper or paper napkin for your ease.
When you make it with a bigger paper, you can use it as a snack plate for a party.

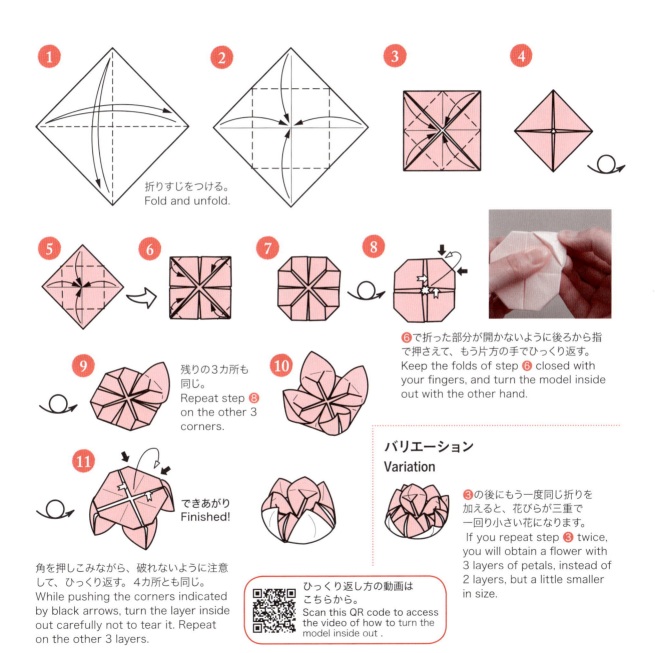

お寿司 半田丈直 [作] 写真 >> p.14 難しさ：★★★
Sushi by Takenao Handa

伝承の風船の折り方を応用しています。いろいろなお寿司を作って、たくさん並べて楽しみましょう。
24cm 角の紙で折ると実物大のお寿司に。
Inspired by traditional balloon, this model can vary from tuna in red, egg in yellow to salmon in pink with selecting color of paper. Let's make a lot of Sushi and place them side by side. You can make it in real size when folding with 24cm by 24cm paper.

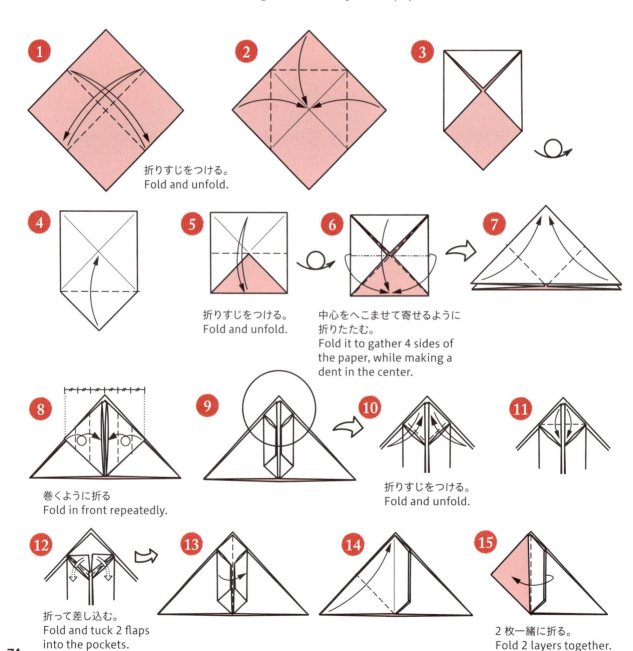

74

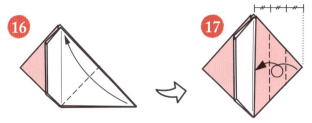

16 17 巻くように折る。Fold in front repeatedly. 18 ❿〜⓬と同じように折る。Repeat steps ❿ to ⓬. 19 2枚一緒に折る。Fold 2 layers together.

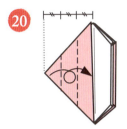
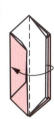
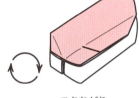

20 ⓱〜⓲と同じように折る。Repeat steps ⓱ to ⓲. 21 22 形を整えながら、ふくらませる。Inflate while shaping. できあがり Finished!

海老のお寿司 Shrimp Sushi

1 お寿司の⓭まで折ってからスタート。折りすじをつける。Start from step ⓭ of Sushi. Fold and unfold. 2 両端を中わり折り。Inside reverse fold up the both corners. 3 折りすじをつける。Fold and unfold. 4 開いて折りたたむ。Open up and flatten.

5 6 7 8 9

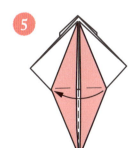
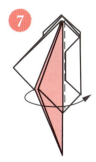
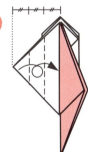
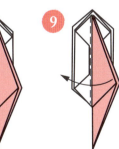

巻くように折る。Fold in front repeatedly. 2枚一緒に折る。Fold 2 layers together. 巻くように折る。Fold in front repeatedly.

75

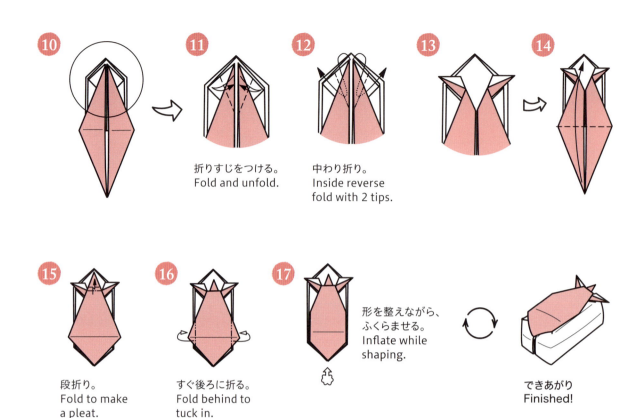

うまくいかないこともある

　この本に書いてあるようにふるまっても、100パーセント必ずうまく行くとは限りません。思ったような反応が返ってこないこともあるでしょう。折り紙があまり好きでない人もいるでしょうし、文化の違いなどで理解してもらえないこともあるかもしれませんので、その点はご承知おきください。

　また、昨今はネットの動画で折り紙の折り方がたくさん紹介されるようになり、海外にも折り紙を楽しむ人が増えました。もしかすると、折り紙を渡そうとしたら「それなら折れる」と言われることも全くないとは限りません。でもそんな時は、お互い折り紙好き同士として仲良くなれたらいいですね。相手の得意な折り紙を教えてもらいましょう。異文化交流にはハプニングがつきものです。うまくいってもいかなくても、どちらも貴重な体験として楽しむ心の余裕が持てるといいなと思います。

箸包み〜山椒包み Traditional small wrapping for chopsticks and spice

写真 >> p.14　難しさ：★

　昔、山椒は抗菌のためにも使われていました。箸袋に使う時には山椒を袋の先に入れておき、箸を差し込みます（下図参照）。他のスパイスや種などを入れるのにも使えますね。

In old times Japanese pepper had been used for antibacterial purpose. When using as a chopstick case, put Japanese pepper in it. It can be used for other spices, seeds as well.

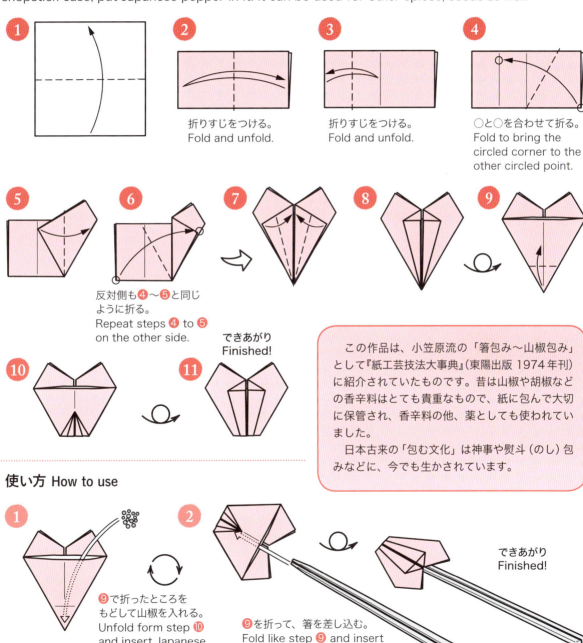

77

妹背山 魯縞庵義道 [作]（「秘伝 千羽鶴折形」より） 写真 >> p.19 難しさ：★★★
Imoseyama (Happy crane couple) by Gidou Rokouan

切り込みを入れた和紙で様々な形につながった折り鶴を折る「連鶴」という技法があります。「妹背山」はそのひとつで、夫婦円満を象ったおめでたい鶴です。縦横の比率が1：2の長方形の紙に切り込みを入れ、頭や尾になる部分と、羽になる部分を間違えないように、図とよく見比べながら折りましょう。

There is an origami technique called "Renzuru: conjoined cranes" to fold multiple cranes from a single sheet of Washi paper with some cuts. This blissful model is one of them and represents a happy couple. Prepare rectangular paper with aspect ratio 1:2. Verify your paper with each steps so that you can distinguish the parts to be heads and tails, and the other parts for wings.

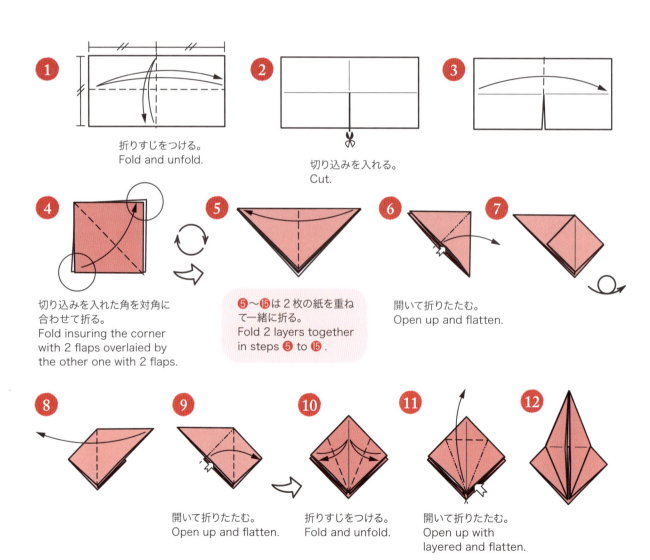

78

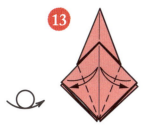
13 折りすじをつける。
Fold and unfold.

14 開いて折りたたむ。
Open up and flatten.

15 2枚をはがす。
Take the layers apart.

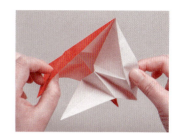

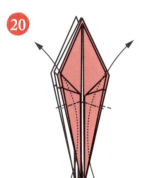
16 1枚ずつもとの形にもどす。
Refold each Crane Base separately.

17

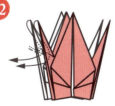
18

19 向こう側も ⑰〜⑱と同じ。
Repeat steps ⑰ to ⑱ on the other piece(white).

20 中わり折り。
Inside reverse fold up 2 points.

21 向こう側も中わり折り。
Inside reverse fold up 2 points on the other piece(white).

22 中わり折り。
Inside reverse fold with both pieces.

23 羽を開く。
Spread the wings.

できあがり
Finished!

「秘伝 千羽鶴折形」は1797年（寛政9年）に桑名の長円寺の住職であった魯縞庵義道の考案した鶴の「つなぎ折り」を秋里籬島が編著者として出版した本です。千羽鶴の「千」とは「多い」という意味で、2羽から97羽の「連鶴」が狂歌とともに、それぞれタイトルをつけて49種紹介され、「妹背山」はそのうちのひとつです。原作ではどちらも紙の表が出るように折られていますが、ここでご紹介した作品は後に表裏が違う色になるように工夫されたものです。

下駄 Geta (Japanese clog) 写真 >> p.16 難しさ：★★★

津田良夫 [作]　Yoshio Tsuda

糊もはさみも使わずに、1枚の紙から下駄の歯や鼻緒までも折り出されている名作です。
作者が大学生の時、友達に「折り紙で下駄なんか折れるかい？」と聞かれ、即興で考えた作品だそうです。
すばらしいですね。
An excellent model that shapes the teeth on the bottom and the thong of geta from one sheet of paper with no cut and no glue. The designer, who was an university student, made this model right after he was said "Can you make an origami geta？" by one of his friends. What a great designer we can appreciate!

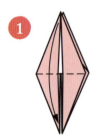

鶴の基本形 (p.29) から。
Start with the Crane Base (p.29).

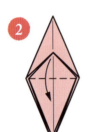

折りすじをつける。
Fold and unfold.

先をつぶして平らにする。
Insert fingers from sides to flatten.

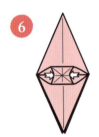

中央部分を四角く形を整える。
Adjust the central part to be square shape.

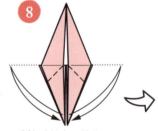

折りすじをつける。
Fold and unfold.

○と●を合わせて折りすじをつける。
Bring the edges marked with ○ onto ●.

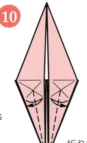

折りすじをつける。
Fold and unfold.

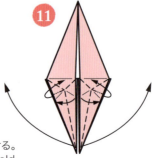

❽〜❿でつけた折りすじを使ってつまんで外側に折る。
Fold using the creases and pinch narrowed tips and bring them outside.

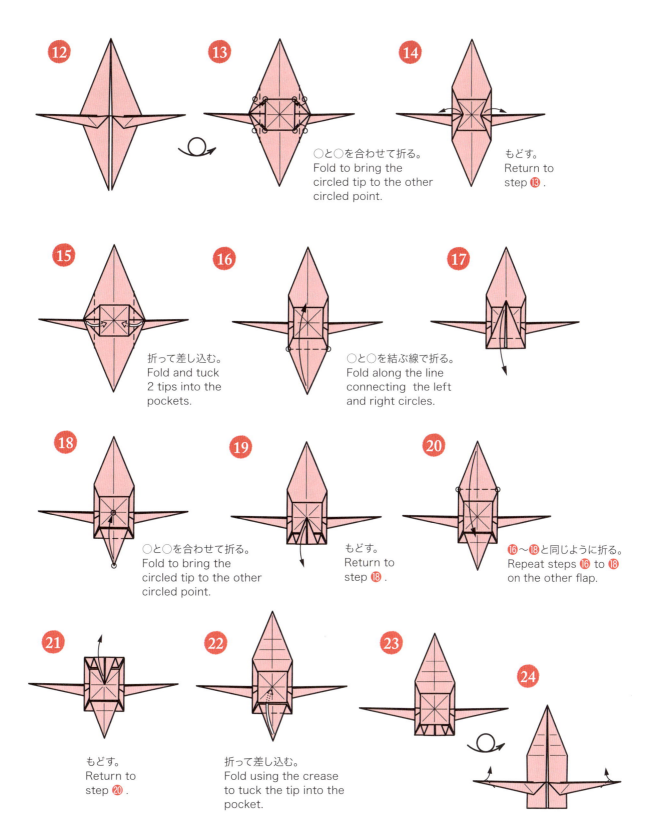

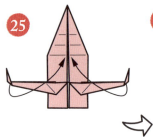 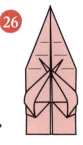 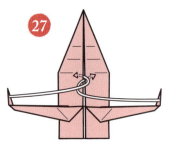 

㉕ カールさせて合わせる。
Make both tips curl and bring to the center.

㉖ 図のような位置に合わせてからもどす。
Position with shaping the 2 tips as above and return.

㉗ 差し込む。
Tuck 2 tips in the center.

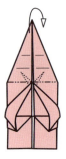    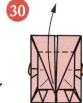 

㉘ 差し込んだ先端を一緒に折る。
Fold to lock the 2 tips inside.

㉛ 折って差し込む。
Fold and tuck the tip into the pocket.

   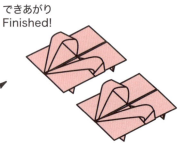

㉜ 立てる。
Stand 2 flaps up.

できあがり
Finished!

バリエーション Variation

図のような色分けの折り紙で折ると、鼻緒が違う色になって素敵です。
When you fold it with colored paper as shown in the figure, the thong of Geta will be different color, which is nice.

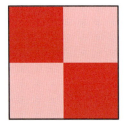  

> 米国在住で現地の方達に折り紙を教えている折り紙講師に、実際に外国の方に「鶴」の折り方を英語で指導する際の説明方法と注意点などを伺いました。講習などで教えてみたいという方の参考としてご紹介しますので、p.28〜29 の「鶴」の折り図と共にご覧下さい（ここでは、「正方基本形」からの工程のみ説明しています）。

[寄稿] 海外での「鶴」の指導例

　見本を目の前で折って見せながら教える時は、英語の正確さより、ゆっくりと相手が理解するのを確認しながら進めるのが大事です。相手の方も日本人から直接折り紙を学べる機会を大事にして熱心に理解しようと努力してくれることがほとんどなので、あまり緊張せずにやってみて下さい。「ゆっくりと」「自分も楽しみながら」が第一です。

❼〜❽正方基本形（Square Base）の向き（上下）に注意する。違う部分を折ってしまう人が多いので "Make sure the closed corner is at the top and the open corner is at the bottom." と角を示しながら上下の向きを確認。また、2 つあるフラップを 2 枚一緒に折ってしまう人がいるので、上側だけ折るように "Take one flap, and fold it like this." と注意して片側を折って見せます。

❾ "Turn it over." と裏返してから "Do the same on this side." と裏面も折ります。この折り線がしっかりしていると鶴の基本形に進む時に楽なので、折り線を補強して見せながら "Make sharp creases." と強調しましょう。

❿ "Fold this small triangle down." と上の三角形を折り、ここも "Make a sharp crease."

⓫ 裏返して "Turn the model over." 裏返す指示を聞き逃す人が多いので、全員が同じ面を上に向けているか、ゆっくり確認します。

⓬ "Unfold the flaps." と開きます。

⓭ 慣れない人にはわかりにくいので、"This is the key step." とか "This is a very important step." などと言って注意を促すといいかもしれません。そして "Do like this." と一番上の紙 1 枚を一番上まで持っていくのを、ゆっくりやって見せます。それから、"Fold back the bottom half." と下半分の折りをもとに戻し、上半分は折り目が逆なので、"Reverse the crease, like this." と、やって見せます。

⓮〜⓲ 片側のひし形ができたら "Turn the model over." と裏返して、同じ操作を繰り返します（"Do the same thing again."）。2 度目は受講者も自分でできる人が多いです。

⓳ ここでも鶴の基本形の上下を確認します。先が分かれている方を示して、"Place the model this way." と確認し、"Take one flap and fold the edge to the center line." と下半分を折ります。反対側、裏面も同じようにします（"Fold the both sides and the other side too."）。

⓴ 中わり折りも初めての人にはわかりにくいので、段階的にゆっくりと説明します。下の端を折り上げて折り目をつけて戻し（"Bring the bottom corner up like this and make a crease line, and unfold."）、モデルの横を開いて下の端を今つけた折り目まで持ち上げて折って閉じます（"Open the side (または Separate the two flaps) like this."）。わかりにくいようなら、"Then bring the bottom corner up again and fold at the crease line." と、何度かゆっくり繰り返して見せましょう。さらに、"Do the same on the other one." と、もう一方も同じように折って見せます。

㉑ 頭を作ります。"Let's make the head. Make a crease for the head like this and unfold." と首に折り目をつけ、その折り目を開いて見せながら、"Open the crease and fold the head down at the crease, like this." と説明し、また首の折り目を閉じます。この時、頭がいい角度にできない人が多いですが、折った後で頭を上下させて新しい折り目をつければ大丈夫です。手を添えてやってあげてもいいし、見本を見せてあげてもいいでしょう。

㉒ 羽を開いて完成！（"Spread the wings."）胴体に丸みをつけるには、"Pull the wings gently like this." と説明しながら、やって見せるといいですよ。

（岡部伸子）

作って使おう Make the models and use them!

簡単封筒　山梨明子 [作]　写真 >> p.20　難しさ：★
Easy envelope by Akiko Yamanashi

差し込むだけで封ができる封筒です。15cm 角の紙で折ればポチ袋にぴったり。
24〜30cm 角の紙で折ると、定形郵便で送ることができます。
This envelope can be sealed by just tacking the final piece inside.
When making it with 15cm x 15cm paper, it will be best for "Pochibukuro (lucky money envelope)." When making it with a square paper 24 to 30cm on a side, it can be sent as a standard sized postal item in Japan.

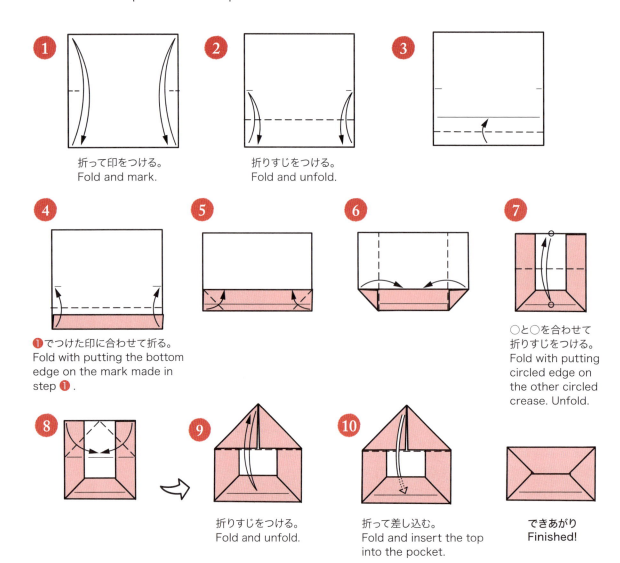

六角封筒　山梨明子 [作]　写真 >> p.20
Hexagonal envelope by Akiko Yamanashi

簡単封筒の応用でできる、おしゃれな形の封筒です。郵送の際は定形外郵便となるのでご注意下さい。
This tasteful envelope can be made with modification of the easy envelope.
Please note that it will be non-standard sized postal item, when mailing it in Japan.

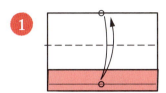

1　「簡単封筒」(p. 84) の❺より。○と○を合わせて折りすじをつける。
Start with step ❺ of Easy Envelope (p.84) . Fold with putting circled edge on the other circled crease. Unfold.

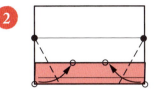

2　●を起点にして、角の○を○に合わせて折る。
Fold to make creases starting from black circled points, bringing circled corners to the other circled points.

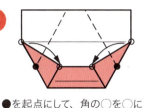

3　●を起点にして、角の○を○に合わせて折る。
Fold to make creases starting from black circled points, bringing circled corners to the other circled points.

4　○と○を合わせて折りすじをつける。
Fold with putting circled edge on the other circled crease. Unfold.

5　折って差し込む。
Fold and insert the top into the pocket.

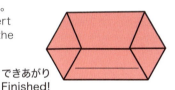

できあがり
Finished!

作品を選ぶ時に配慮したいこと　Column

　日本人でも外国人でも、きれいなものはきれいと感じ、楽しいものは楽しいことに、変わりはありません。あまり構えずに、「楽しい作品」、「素敵な作品」を伝えることが一番大事だと思います。

　でも、日本の常識だけでは失敗することもありますし、時には失礼になることも。外国の方と折り紙をする時、相手の国がわかっている場合は、前もって相手の国の文化や宗教を調べておくとよいでしょう。

　たとえば、日本はどんな宗教でも受け入れ、行事に取り込んでいますが、そうでない国も。クリスマスを祝う国ばかりではありませんし、サンタクロースもどこの国でも通用するとは限りません。動物も「象」や「牛」や「猿」などが神様として大切にされている国もありますので、その場合は扱いに気をつけましょう。

　また富士山や下駄などの日本をモチーフにした作品は、日本に来た人や関心がある人にはとても喜ばれますが、こちらから海外に行く場合には、全く興味がない人がいる ことも頭に入れておきましょう。一方、「蓮の花」などは、東南アジアや仏教が盛んな国でとても人気があります。お国柄に配慮しつつ、喜ばれる作品を紹介したいものですね。

四角箱と八角箱　Square box and octagonal box　写真 >> p.20　難しさ：★

ちょっとしたアレンジで、3つの形が楽しめます。
折りたたんで平たくできるので、持ち運びにも便利です。
With just a easy modification you can enjoy three kinds of models.
They can be flattened for easy carrying.

四角箱 Square Box

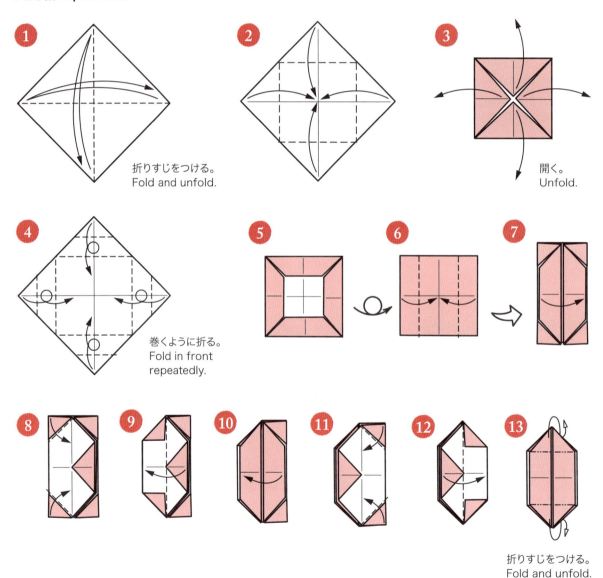

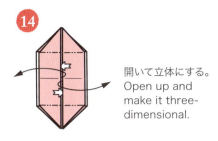

14 開いて立体にする。
Open up and make it three-dimensional.

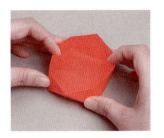

できあがり
Finished!

八角箱 Octagonal Box

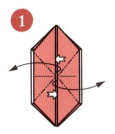

1 「四角箱」の⓭から。開いて折りたたむ。
Start from step ⓭ of the "Square Box." Open up and flatten.

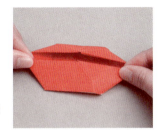

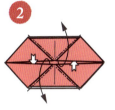

2 開いて立体にする。
Open up to make it three-dimensional.

できあがり
Finished!

バリエーション Variation

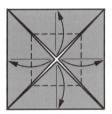

1 「四角箱」の❸から。
Start from step ❸ of the "Square Box."

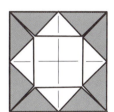

2

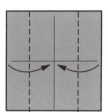

3

4 「四角箱」の❼〜⓬と同じように折る。
Repeat steps ❼ to ⓬ of the "Square Box."

5 「八角箱」の❶〜❷と同じように折る。
Follow steps ❶ to ❷ for the "Octagonal Box."

できあがり
Finished!

フラップつきの箱になる。
The box will have a base.

87

ボートの皿 Boat 写真 >> p.21　難しさ：★★

よく知られている伝承の「ボート」に一折り加えることで、ヘリがしっかりし、紙の裏の色が出ないボートになります。黄緑色の紙で折って笹舟に見立てたり、しっかりした紙で折っておつまみ入れの皿にしてもいいですね。
Adding one fold to the well-known traditional boat, the edges will be firm and the white side of the paper will be hidden. It would be good idea to use leaf green paper in order to make it look like a bamboo-leaf boat or thicker paper for a snack tray.

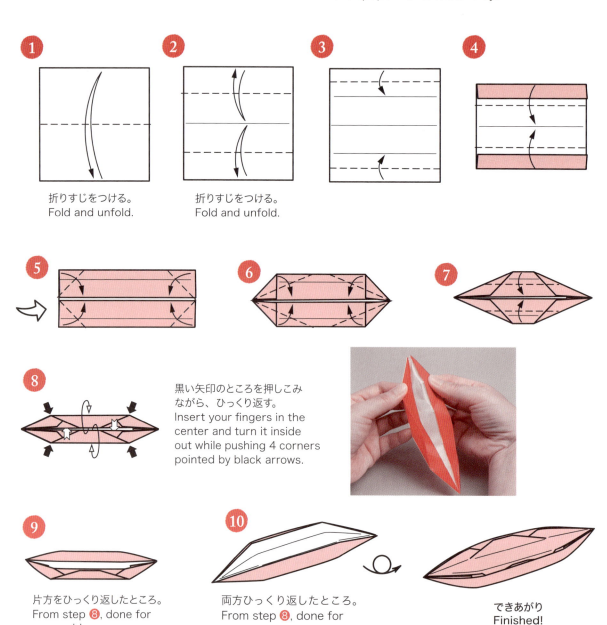

富士山の敷き紙　Mt. Fuji place mat　写真 >> p.21　難しさ：★

藤本祐子 [作]　Yuko Fujimoto

プロセス❶と❻の部分を折る幅を変えることで、雪の量や富士山の大きさ、敷き紙の幅が変わります。
ネームプレートにしたり、小さなお菓子を置いたり、使い道はいろいろ。おもてなしのテーブルにいかがですか？
Adjusting the widths to fold at step ❶ and ❻ will change the amount of snow, size of Mt. Fuji and width of the finished model. You can use it as nameplate, plate for small snacks, to name a few. Why don't you use it on tables for the hospitality?

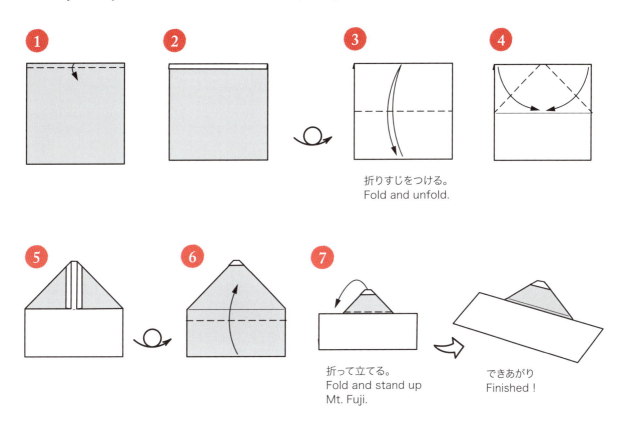

「ボートの皿」のバリエーション
Variation of the Boat

❼の折り方を変えると、少し幅の広いボートができます。
Folding in narrower widths at step ❼ will result in the boat with wider width.

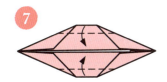

p.88 の❷でつけた折り線で折る。
Fold by the crease made in step ❷ on page 88.

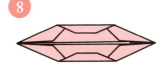

❽〜❿は p.88 と同じように折る。
Repeat steps ❽ to ❿ on page 88.

できあがり
Finished!

89

扇の箸置き 山梨明子 [作]　写真 >> p.21　難しさ：★★★
Fan-shaped chopsticks rest by Akiko Yamanashi

食卓を引き立てる、華やかな扇の形の箸置きです。カード立てとしても使えます。
This gorgeous model will brighten your dining table. It can be used as a card holder too.

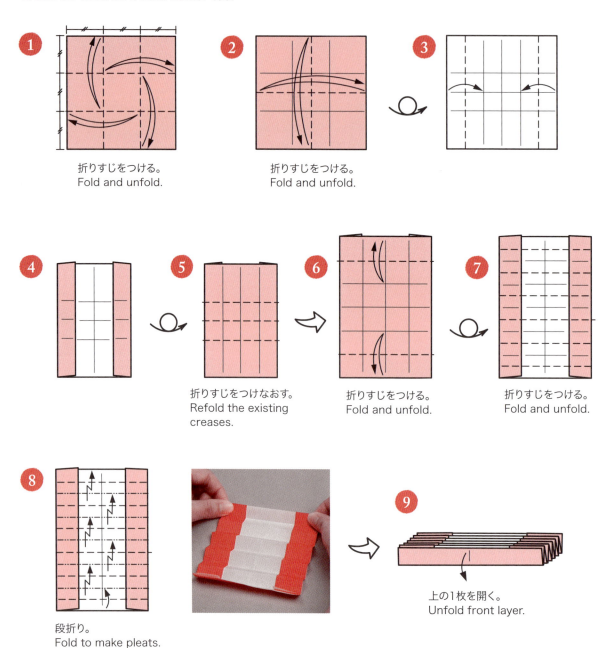

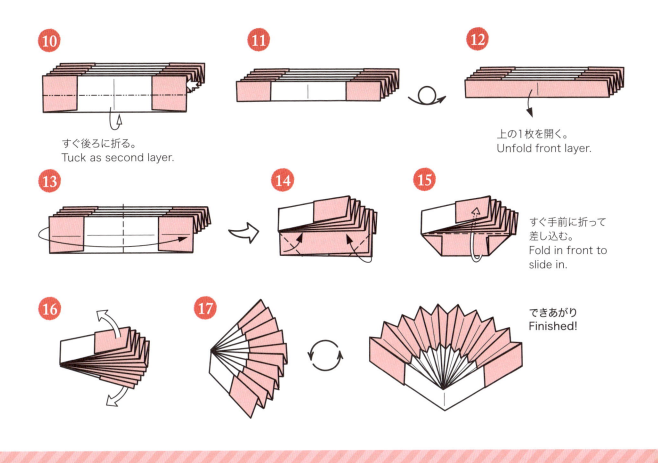

紙の「目」を意識しよう

紙には、繊維の流れによる紙の目（縦目・横目）があります。右の図の矢印の方向が繊維の流れで、流れに沿って折ると折りやすく、逆らって折ると折りにくい場合があります。

折り紙の場合は図のように、紙を持って確かめることができます。特に、細く折る場合や段折りなどにする場合は、厚さにもよりますが、紙の目の向きに沿って折ると折りやすく、仕上がりもきれいになります。たとえば前ページの「扇の箸置き」の場合は、右の図の「横目」に合わせて折ると、段折りがきれいにできます。

和紙の場合は縦目と横目の違いがないか、あっても少ないです（製法による）。

糸入れ Traditional small pouch: thread case 写真 >> p.20 難しさ：★★

昔の包みである「たとう」の一つです。糸だけでなく、シールや切手など様々な小物を入れましょう。
海外旅行でのコインの仕分けにも便利です。
One of the traditional paper folding models for wrapping, called "Tatou."
Put not only strings but also various small stuff such as stickers, stamps.
Useful for keeping coins separately during overseas travel.

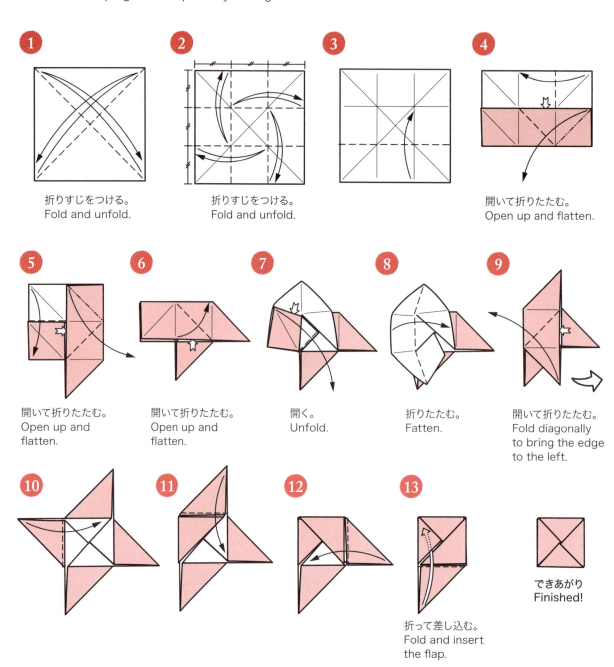

92